E. VORBECK – L. BECKEL · CARNUNTUM

EDUARD VORBECK – LOTHAR BECKEL

CARNUNTUM

Rom an der Donau

OTTO MÜLLER VERLAG SALZBURG

2. Auflage 1973, 5.–11. Tausend

INHALT

VORWORT

Die Idee eines Bildbuches von Carnuntum geht auf Hofrat Dr. Helmuth Lang vom Kulturreferat der Niederösterreichischen Landesregierung zurück. Dieser und dem „Verein der Freunde Carnuntums" ist für die Förderung zu danken, die die Herausgabe des Werkes mit zahlreichen großformatigen Farbbildern ermöglichte.

Die Verwirklichung des Planes aber, die Notwendigkeit weiteren Erforschens dieser Ruinen aufzuzeigen, die sich in den heutigen Grabungen als ein einzigartiges Freilichtmuseum präsentieren, hing von der Zusammenarbeit ab, die sich zwischen dem Museum Carnuntinum und Dr. Lothar Beckel entwickelte. Ich lernte Beckel 1968 während seiner Arbeiten am „Luftbildatlas Österreich" kennen, bei denen er aus der Luft die unter der Erde liegenden, nicht ausgegrabenen Mauerreste und Straßenanlagen Carnuntums entdeckte, die durch Wachstums- und Reifeunterschiede im Getreide von oben sichtbar werden. Für mich, als Flieger des Zweiten Weltkrieges, war es ein besonderes Erlebnis, wieder in einer Maschine zu sitzen und nun mit Beckel als Piloten der jüngeren Generation über Carnuntum Luftaufnahmen machen zu können. Beckel hat dabei nicht nur als Pilot, sondern auch, die Aufnahmen beweisen es, als Fotograf Hervorragendes geleistet. Im Verlaufe von vier Jahren gelang es ihm, das alte Carnuntum — soweit es heute von Getreidefeldern bestanden ist — weitestgehend aus der Luft zu fotografieren. Das Bild, das sich bei solchen Flügen bietet, ist prachtvoll. Anfangs Juli, etwa eine Woche vor der Ernte, flogen wir über die Felder von Petronell und Bad Deutsch-Altenburg und erkannten in den goldgelben Arealen das darunterliegende römische Mauerwerk. Denn dort, wo die Mauern liegen, entzieht das kalkhaltige und vermörtelte Gestein dem Boden das Wasser, so daß in diesem Bereich die Frucht dunkler und geringer an Höhe ist. Dieser Umstand ergibt nun aus der Luft ein klares Bild von der Form der Häuser, der Anlage der Straßenzüge und der Ausdehnung der Siedlung. Der Flug über das Legionslager entlockte mir den Ausruf: „Man braucht nur die Türe aufzumachen und hineinzugehen in den ersten oder zweiten Raum links oder rechts vom Mittelgang." So klar lagen die Kasernen vor uns. Mancher Zweifel aus alter Überlieferung wurde beseitigt. So gelangen z. B. die zeitliche Einordnung der Ausbuchtung an der Nordostecke des Lagers und der Beweis, daß sich in der Umgebung des Heidentores keinerlei Bauwerke befanden. Die Ausdehnung der Stadt nach Westen, in Richtung Wildungsmauer, zeigte ganz klar der beidseitig eng verbaute Straßenzug außerhalb der Tiergartenmauer, bei der also Carnuntum keineswegs endete, wie man noch vor zehn Jahren geglaubt hatte.

So zeigen diese Bilder, zusammen mit den Aufnahmen, die am Boden von den Grabungsstätten und im Museum von ausgewählten Funden gemacht wurden, im Verein mit dem Text ein neues, ein vielleicht etwas anderes Bild von Carnuntum.

Eduard Vorbeck

EDUARD VORBECK: ROM AN DER DONAU

Tiberius und Marobod

„... *ipse a Carnunto qui locus Regni Norici proximus ab hac parte erat, exercitus, qui in Illyrico merebat, ducere in Marcomannos orsus est...*" So schrieb Vellejus Paterculus über jenen Feldzug, den er unter dem Kommando des späteren Kaisers Tiberius mitmachte. Tiberius zog also sein Korps, das in Illyrien stationiert war, in Carnuntum, einem Ort im Königreich Noricum, nahe der Grenze, zusammen und begann den Krieg gegen die Markomannen. Es war das Jahr 6 n. Chr.

Das Königreich Noricum – ein loser Stammesverband zwischen den römischen Provinzen Rätien im Westen und Pannonien im Osten, vom Höhenzug der Karawanken im Süden, vom Wasser der Donau im Norden begrenzt – stand damals im Mittelpunkt entscheidender Überlegungen des Kaisers Augustus und seiner Räte. Der Markomanne Marobod, ehemals Geisel am römischen Hof, erfahren in Kriegstechnik und Verwaltung, erschien als König mit seinem Stamm ca. 8 v. Chr. im böhmischen Raum und ließ sich hier nach Vertreibung der heimischen Bojer nieder. Ein stehendes Heer, bestens ausgerüstet, war in der Hand dieses Mannes eine gefährliche Bedrohung des Friedens. Diese Machtdemonstration mußte für Rom unerträglich werden, denn ihre Richtung konnte nur der Süden sein! Die Tage der Cimbern und Teutonen, noch unvergessen in den Erzählungen der Väter, schienen wiederzukommen. So begann jener Präventivkrieg, den Vellejus beschreibt, er sollte der Bedrohung aus dem Norden ein Ende setzen.

In diesem Jahr 6 n. Chr. sollte nach der militärischen Planung Roms über den Frieden für die kommenden Jahrzehnte, vielleicht Jahrhunderte entschieden werden. Von Carnuntum und Mainz aus waren konzentrische Angriffe gegen das mittlere Germanien geplant, um diesen Raum zwischen Rhein, Main und Donau zu einem Glacis vor der Reichsgrenze zu machen. Tiberius überschritt daher bei Carnuntum die Donau, Sentius Saturninus stieß aus dem Rhein-Main-Dreieck durch das Land der Chatten nach Osten. Doch entwickelte sich alles anders als geplant. In der Provinz Illyricum, d. h. in Pannonien und am Balkan, brach ein wohl vorbereiteter Aufstand aus, um das römische Joch, das man erst kurz trug, abzuschütteln. Der Krieg gegen Marobod ließ die Gelegenheit günstig erscheinen, und markomannische Emissäre taten das ihre, den Aufstand zu schüren. Für eine offene Feldschlacht war Rom jedoch zu überlegen; so kämpften die Rebellen unter dem Fürsten Buto als Partisanen in den Wäldern zwischen Plattensee und den bosnischen

Bergen. Nun blieb Tiberius nur eine Möglichkeit, um nicht, von der festen Basis abgeschnitten, in den böhmischen Wäldern einem ungewissen Schicksal entgegenzugehen. Der Feldzug gegen die Markomannen mußte abgebrochen und der Aufstand niedergeschlagen werden.

So trat ein wohl sehr seltener Fall ein. Ein siegreich gegen den Feind begonnener Krieg wurde nicht beendet, jedenfalls nicht militärisch beendet. Tiberius zog gegen die Aufständischen, Marobod und seine Markomannen blieben ungeschoren.

Es sei noch erwähnt, daß Marobod und die Aufständischen im pannonisch-illyrischen Bereich einen Gefährten hatten, der Roms Lebensnerv traf. Als Tiberius 6 n. Chr. in Carnuntum antrat und kurz darauf der große Aufstand erfolgte, trieb am Rhein Marobods Freund und Kamerad aus den Jahren, da sie gemeinsam als Geiseln in Rom waren, Arminius, sein diplomatisches Spiel. In Rom geschult und als Offizier und Diplomat erprobt, erwies sich der junge Cheruskerfürst als ausgezeichneter Jongleur. Varus merkte nichts von seinem Spiel, wie uns die Quellen erzählen; er vertraute Arminius. 9 n. Chr. kam es zur Katastrophe. Im Teutoburgerwald wurden drei römische Legionen vernichtet. Niederlagen an Donau und Rhein, dazu der Aufstand in Pannonien und Illyrien – eine kritische Lage für Rom. Ob Augustus die Worte „*Vare Vare redde mihi legiones*" gesagt haben mag oder nicht, allein die Überlieferung dieser Worte beleuchtet die Situation. Rhein und Donau blieben die Grenze, von den römischen Adlern bewacht, gegen Osten und gegen Norden.

Carnuntum aber wurde im Zuge der Friedensverhandlungen mit den Germanen vom Königreich Noricum abgetrennt. Es kam mit dem ihm zugehörigen Gebiet zu der noch jungen und eben nach dem niedergeschlagenen Aufstand wieder befriedeten Provinz Pannonien. Die Hauptstadt, das politische und kulturelle Zentrum des Landes, war Savaria (Szombathely, Steinamanger).

Die keltische Tradition

Damit beginnt der Weg Carnuntums. Von nun an steht sein Schicksal auf der Bühne der Geschichte. Das Schicksal einer Stadt, deren eminente Bedeutung lange Zeit hindurch nicht mehr durch nebensächliche Geschehnisse in den Schatten gerückt werden konnte.

Carnuntum bildete nun für 400 Jahre das Bollwerk an der natürlichen Einfallspforte nach Italien. Am Hochufer der Donau bezog die *legio XV Apollinaris* – eine Elitetruppe – ihr Lager und hielt die Wacht an der alten Via del ambra, der Bernsteinstraße, die die Ostsee mit dem Mittelmeer verbindet. Rom mochte ruhig sein, diese Grenze war sicher.

Die neue Stadt, von Römern und einheimischen Kelten errichtet, deren Wohnsitze auf dem Braunsberg bei Hainburg in den Tagen des Krieges gegen Marobod zerstört worden waren, behielt den alten keltischen Namen – Carnuntum, die Stadt am Stein. In ihrer Anlage bot die neue Siedlung mit keltischer Tradition das Bild einer römischen Stadt. Westlich des Lagers, im Gebiet der heutigen Marktgemeinde Petronell, erhoben sich die Häuser mit ihren Heizanlagen und Mosaikböden, wurden Wasserleitungen und Kanäle angelegt. Waren es auch wirtschaftliche Belange, der Handelsverkehr von West nach Ost auf dem Wasserwege der Donau, von Nord nach Süd auf dem Karawanenweg der Bernsteinstraße, die für das Aufstreben und die wirtschaftliche Potenz der neuen Gründung von Wichtigkeit waren, für Rom war in erster Linie die strategische Lage von lebenswichtiger Bedeutung. Bald entstanden im Schatten dieser starken Stadt weitere Siedlungen. Römische Kaufleute und Händler ließen sich entlang der Straße gegen Vindobona nieder; der Einflußbereich der Stadt erstreckte sich nach Süden hin bis zum Neusiedler See und über Baden hinaus, das damals als Aquae ein gern besuchtes Heilbad war.

Gegen Ende des Jahrhunderts verlor auch die alte Hauptstadt Savaria an Bedeutung und Rang. Bei der Teilung der Großprovinz in die beiden neuen Verwaltungsbereiche Pannonia superior (Oberpannonien) und Pannonia inferior (Unterpannonien) wurde Carnuntum Hauptstadt und damit militärischer, politischer und wirtschaftlicher Zentralpunkt der neuen oberpannonischen Provinz. Die Stadt wurde zum Sitz des Statthalters – *legatus Augusti pro praetore,* der gleichzeitig auch den Oberbefehl über die Truppen der Provinz ausübte, die in Carnuntum, Vindobona (Wien) und Brigetio (O Szöny) stationiert waren. Neben dem Stab des Statthalters und Oberkommandierenden befand sich hier auch noch der Stab des Legionskommandos. Eine Zusammenballung militärischer Kommandostellen, die die Bedeutung der Festung Carnuntum zeigen. Daß auch die Zivilverwaltung der Provinz in die Stadt an der Donau zog, war unter diesen Voraussetzungen selbstverständlich. Damit gewann auch die Zivilstadt an Rang, und Hadrian verlieh ihr zu Beginn des zweiten Jahrhunderts den Status eines Municipiums – das Römische Stadtrecht – mit Bürgermeister, Stadträten und Stadtsenat. Nur kultisches Zentrum blieb weiterhin Savaria, wie zweifellos schon vor der Besitznahme durch Rom. Als solches finden wir den Namen dieser Stadt noch in Inschriften des zweiten und dritten Jahrhunderts.

Kultur und Zivilisation des Mittelmeerimperiums strömten nun mächtig gegen die Ufer der Donau. Mit unnachahmlichem Geschick richtete Rom hier seine Verwaltung ein und errichtete seinen Göttern Kultstätten. Es baute aber auch den heimischen Göttern Tempel, nahm sie in sein Pantheon auf und machte damit den unterworfenen Stämmen die neue Situation annehmbar.

Die Grabungen in Petronell zeigen, wie auch die Zivilstadt nach römischem Schema geplant war: gerade, breite Straßen, parallel laufend, große *insulae,* also Häuserblocks und Wohnkomplexe. Aber Haus für Haus, soweit wir es heute sehen, trägt den alten heimischen, keltischen Baustil – das Haus mit Korridor und Laube, gänzlich überdacht.

Kein Atrium, kein Perystil, wie im Süden etwa in den heute noch erhaltenen Häusern von Pompeji und Herculaneum zu erkennen, wo offene Lichthöfe die Sonne und den so kostbaren Regen auffingen. Hier im rauhen Norden baute der Römer den Einheimischen das alte keltische Blockhaus in Stein nach. Die Luftaufnahme zeigt die Anlage der Siedlung wie auf einem Plan. Klar erkennbar sind die dem Hause vorgelagerte Laube, der durchlaufende Korridor und rechts und links die verschiedenen Räumlichkeiten. Auch die Umbautätigkeit im Lauf der Jahrzehnte und Jahrhunderte zeigt die Flugaufnahme mit überraschender Deutlichkeit. Das an das Lesen gezeichneter Pläne gewöhnte Auge unterscheidet die Grundrisse der Häuser und den Verlauf der Straßen, hineingestellt in das Grün der Wiesen und Parks. Die Grabungen lassen dann die Entwicklung der Laube zur Porticus, zur Kolonade verfolgen. Mosaiken zierten die Fußböden, und Heizanlagen machten das Wohnen während der strengen Wintermonate angenehm.

Der einheimische Kelte wußte wohl den Wert des Neuen zu schätzen, und dank der allgemeinen Prosperität sowie der Achtung seiner Religion und seiner Rechte seitens der neuen Herren stellte er sich ausgesprochen positiv zum römischen Staat ein. Hier bewährte sich die übernationale Kaiseridee des römischen Imperiums. Pannonische Legionen galten neben denen vom Rhein als die tapfersten und verläßlichsten, Pannonier bildeten die kaiserliche Garde des 3. Jahrhunderts. Pannonische Männer waren es auch, die in dieser Zeit den Kaiserpurpur und die Reichsidee weitertrugen, als Italien schon längst aufgehört hatte, Pflanzstätte des Imperiums zu sein.

Das Weiterbestehen der alten keltischen Bauformen, dieses Haustyps, den wir am Neusiedler See ebenso finden wie im niederpannonischen Aquincum (Budapest) oder in Keszthely-Fenékpusta am Plattensee, hat seine Entsprechung in der religiösen Sphäre. Wohl standen die Tempel von Jupiter, Juno, Minerva, Mars, Apollo und anderer römischer Götter am Forum, in den Außenbezirken aber lebten neben importierten orientalischen Kulten die alten Götter in ungebrochener Kraft weiter. Hier hatte Silvanus seine Altäre, der Herr der Wälder, Auen, Quellen, der Herr der Fruchtbarkeit, der Herr über Leben und Tod. Neben ihm wurden seine Begleiterinnen verehrt, die Nymphen und Silvanen, Quellgottheiten, die in den ausgedehnten Auwäldern ihre Heimstatt hatten. Ihre alten keltischen Namen sind verloren gegangen, die *interpretatio Romana*, die Übersetzung und Übernahme durch die Römer, hat uns nur ihre lateinischen Bezeichnungen überliefert, ihr Kult blieb aber bestehen. Dutzende von Weihealtären legen ein beredtes Zeugnis der weiten Verehrung dieser Gottheiten ab. Sie gaben ja den heimischen Wäldern ihren Reiz, spendeten Segen und brachten verirrte Wanderer auf den Weg zurück, und ihre späten Enkel bevölkern noch in den Grimmschen Märchen als Feen und Kobolde die Fabelwelt, tanzen in Goethes Erlkönig Reihn, und eines der lieblichsten davon ist in unseren Auwäldern am Strome das Donauweibchen.

Handelsmetropole und Festungsanlage

Carnuntum wuchs zu einer Handelsmetropole ersten Ranges. Aus dem Norden kam der wertvolle Bernstein, der dem Handelsweg seinen Namen gab, um in Italien zu Schmuck verarbeitet zu werden. Felle, Häute, Leder und Schlachtvieh waren begehrte Importartikel. Der starke Warenverkehr aus den westlichen Provinzen erwies die Wasserstraße der Donau als bedeutenden Handelsweg. Aus dem Süden zogen die Handelskarawanen in die Stadt am Strom. Terra sigillata aus Italien, Germanien und Gallien, Öllampen und Keramik, Glas und Hausgerät, Schmuck aus Bronze, Silber und Gold, alles fand auf den Carnuntiner Märkten willige Käufer.

Daneben entstand aber auch eine heimische Industrie. Es blühten das Keramik- und Ziegeleigewerbe; Steinmetzen und Bildhauer schufen Plastiken, Grabsteine und Altäre für den kultischen Bereich, wovon zahlreiche aufgefundene Inschriften zeugen. Kupfer-, Silber- und Goldschmiede hämmerten feinen Schmuck. Ringe und Anhänger, Gürtelschließen und Ohrgehänge wurden in den Läden zum Kauf feilgeboten, und so manches Stück, das einem Mädchen oder einer Frau in das Grab mitgegeben wurde und bei Ausgrabungen heute wieder ans Licht kommt, stammt aus Carnuntiner Werkstätten. Auch Gemmenschneider sind in Carnuntum nachweisbar, jene Künstler, die in Karneol und Jaspis Gottheiten und Porträtköpfe, Tiere und Ornamente schnitten. Die Erzeugnisse der heimischen Glasindustrie, ein Stück Glasfluß aus einer Fabrikation beweist es, standen neben den teuren Importgläsern aus Phönikien, Aquileja und Köln zum Verkauf bereit.

Das von der XV. Legion errichtete Lager, wohl ursprünglich ein Erdkastell, wurde zum befestigten Platz ausgebaut mit allen Raffinessen römischer Festungskunst, wie sie Hygin und Vitruv gelehrt hatte. Ein Inschriftbruchstück aus dem Jahre 53/54 n. Chr., das leider verschollen ist, nennt Statthalter und Legionskommandeur, unter denen die *legio XV* am Lager baute. Auf spätere Arbeiten weisen Inschriften unter Vespasian zu Ende des Jahrhunderts. Um das Praetorium, das Stabsgebäude, formierten sich die Verwaltungsgebäude und die Kasernen für die einzelnen Truppenteile. Jenseits der *via principalis*, der Hauptstraße des Lagers, standen die Offiziershäuser, das *scamnum tribunorum*, und zur Feindseite abschließend noch eine Reihe von Kasernen. Legionsinfanterie und Reiterei, Artillerie und Pioniere, sowie verschiedene Hilfstruppenkörper der Legion, der kleinsten taktischen Einheit des römischen Heeres, waren hier untergebracht, etwa zehntausend Mann. Im Fahnenheiligtum waren die Statuen und Büsten der Kaiser und Götter aufgestellt; die Wohnräume des Befehlshabers waren mit Mosaiken ausgeschmückt und auch hier standen in Nischen Statuetten und Büsten. Ebenfalls im Legionslager zeugen die Spuren von mannigfachen Umbauten, bis es gegen 400 n. Chr. mit der militärischen Aufgabe der Provinz verlassen wurde.

Auf dem Berg hoch über Lager und Stadt – heute der Pfaffenberg bei Bad Deutsch

Altenburg – erhoben sich Tempel, verschiedenen Göttern geweiht. Die Grabungen der letzten Jahre zeigen die Fundamente mehrerer Anlagen, darunter einen dreigegliederten Bau. Der Fund eines Jupiterkopfes und eines Inschriftbruchstückes mit dem Namen der Göttin Minerva lassen den Schluß zu, daß hier ein Heiligtum der kapitolinischen Trias gestanden hat.

Im Jahre 72 n. Chr. kam die *legio XV* aus dem Jüdischen Krieg wieder in ihre alte Garnison an der Donau zurück, die sie vor zehn Jahren verlassen hatte. Siegreich und beuteschwer; war sie doch unter dem Kommando des Titus, des späteren Kaisers, hervorragend bei der Niederwerfung des Aufstandes und der Zerstörung Jerusalems beteiligt. Mit den Legionären erschien auch ein neues Phänomen an der Donau, um sich von hier aus an den Rhein und nach Britannien zu verbreiten: Mithras, der Herrscher des Alls, ein uralter persisch-indischer Lichtgott. Ein Tontäfelchen aus Boghazköy in Kleinasien trägt seinen Namen. Es ist die früheste Erwähnung – sie stammt aus dem 14. Jahrhundert v. Chr. Wieviele Jahrhunderte, vielleicht Jahrtausende muß er seinen Weg gewandert sein, von den Ufern des Indus bis ins anatolische Hochland, fast an die Gestade des Mittelmeeres. Er, der Kämpfer gegen das Böse, der große Erlöser, der ein Wiederauferstehen am jüngsten Tage, das große Weltgericht, ein Leben nach dem Tode verspricht, einen ewigen Lohn denen, die guten Willens sind. Er tötet den Stier, den Inbegriff der reinen Materie, die hier vom Geistigen besiegt wird. Er ist der unermüdliche Kämpfer für das Licht und gegen die Finsternis. Cautes und Cautopates, die beiden Dämonen, verkörpern Licht und Schatten, Gut und Böse, mit der erhobenen und gesenkten Fackel in den Händen.

Marc Aurel und der große Germanenkrieg

Über diese Stadt voll pulsendem Leben, in dieses scheinbar feste und gesicherte Gefüge voll Wohlstand und Ordnung, diese Pax Romana an der Donau brach um die Mitte des zweiten Jahrhunderts das Chaos herein.

Scharen germanischer Markomannen und Quaden, vermengt mit Splittergruppen aus kleineren Stämmen, darunter skytischen und sarmatischen Reitergruppen, drangen erobernd und plündernd bis vor die Tore Aquilejas. Carnuntum und das pannonische Land wurden verwüstet. In dieser kritischen Situation, da das römische Ostheer im Kampf gegen die Parther am Euphrat stand, setzte sich Kaiser Marc Aurel in Rom an die Spitze neu ausgehobener Truppen und marschierte nordwärts. Doch welch eine Armee zog hier dem Feind entgegen. Nicht kampferprobte Legionen, vor denen die Völker zitterten: Pannonier und Germanen starben inzwischen an tödlichen Seuchen am parthischen Kriegsschauplatz. In aller Eile hatte man daher ein letztes Aufgebot von Handwerkern, Vetera-

14

nen, Sklaven und unausgebildeten Rekruten zusammengetrieben. Was vermöchte deutlicher die ungeheure Gefahr aufzeigen, in der Rom schwebte. Aber diese germanischen Stämme – Markomannen und Quaden – waren noch nicht die landsuchenden Völker der großen Wanderung, die Rom zerstörten, um eigene Reiche zu gründen. Sie wollten nur Beute machen, und mit dieser Beute schwer beladen, traten sie auch den Rückzug an die Donau an. Der Nimbus der Macht Roms aber hatte einen schweren Schlag erlitten. Wohl zogen sich die Germanen über den Strom zurück, wohl nahm der Kaiser wieder Besitz von den verlorenen Landstrichen, aber die alten Zeiten waren dahin.

Der Kaiser selbst, Marc Aurel, schlug sein Hauptquartier in Carnuntum auf, wo er vom Frieden unter den Menschen und von der Gerechtigkeit träumte. Hier schrieb er das zweite Buch seiner „Selbstbetrachtungen", Friedens- und Ordnungsgedanken, aufgezeichnet in den langen Nächten im Lager, die vom Lärm der Waffen erfüllt waren: „Aber Tod und Leben, Ruhm und Unberühmtheit, Mühsal und Lust, Reichtum und Armut – all dies widerfährt in gleicher Weise den guten und den bösen Menschen; denn es ist weder schön noch häßlich. Es ist also auch weder gut noch böse." Ein Philosoph im Soldatengewand, ein Feldherr in Philosophentoga. Rom aber hätte einer starken Hand und eines eisernen Willens bedurft, um diese Zeiten zu meistern. Im Jahre 180 starb Marc Aurel, sein Sohn Commodus, ein Realist und darin gar nicht der Sohn seines Vaters, schloß mit den Germanen Frieden.

Die Ausgrabungen zeigen noch heute deutlich das ungeheure Ausmaß der Zerstörungen, die der unselige Krieg über Stadt und Land gebracht hat. Münzschatzfunde, mit Denaren gefüllte Gefäße, die der Pflug heute allenthalben aus dem Boden ackert, runden das Bild ab und zeigen die große Angst der Bevölkerung vor jenem tödlichen Sturm, der sie veranlaßte, ihre Habe zu vergraben, in der Hoffnung, sie einmal wiederzufinden. Für viele eine vergebliche Hoffnung, ihre Schätze blieben für mehr als eineinhalb Jahrtausende verborgen, bis sie der Pflug in unseren Tagen ans Licht brachte.

Der Wiederaufbau von Stadt und Lager, in dem seit Beginn des Jahrhunderts die *legio XIV gemina Martia victrix* stationiert war, begann. Mit aller Deutlichkeit hebt sich diese zweite Bauperiode von der Gründerzeit des ersten Jahrhunderts ab. In den verschiedenen Häusern sehen wir die Fundamente beider Perioden nebeneinander liegen, mitunter Mauer eng an Mauer. Manch vertrautes Bild war verändert, manche Halle oder Porta blieb im Schutt vergraben und wurde nicht wieder errichtet. Heiligtümer und Altäre wurden überbaut, manche neu aufgeführt. Heute, da wir aus allen Bauperioden die Fundamente vor uns liegen sehen, ist es die Aufgabe des Ausgräbers, zu trennen und zu unterscheiden, die Mauerzüge den einzelnen Bauphasen im Laufe der Jahrhunderte zuzuweisen und so auf dem Plan den Bau in seinen verschiedenen Perioden aufzuzeigen. Wie umfangreich auch die Um- und Neubauten in dieser zweiten Periode waren – neue Heizungen und Mosaikböden zeugen davon, die Laube von Haus 6, einem Großkomplex von ca. 60 x 70 m, wurde zur Porticus umgestaltet –, der alte Stil, das Haus mit Laube und Korridor blieb trotz allem weiterhin dominierend.

Dieses ausgehende 2. Jahrhundert brachte eine gewaltige Baukonjunktur, die Ziegelwerke arbeiteten auf Hochtouren, denn die Häuser der Stadt, die Verwaltungsgebäude, die Regierungspaläste mußten wiedererrichtet werden. Im Lager waren die Soldaten mit dem Ziegelbrennen beschäftigt und die Legionsmaurer setzten die zerstörten Gebäude instand. Die beiden Amphitheater, das zivile und die Militärarena, wurden neu aufgebaut, da die alten Holzkonstruktionen in den Kämpfen verbrannt waren. Die Statthalterloge des Legionstheaters wurde neu adaptiert – alles wurde prunkvoller und repräsentativer. 7 000 Besucher faßte das neuerbaute Oval der Arena. In einer Nische am Westtor fand man ein Kultbild der Diana Nemesis, der Schutzgöttin der Gladiatoren, sowie eine Anzahl von Altären, die glückliche Bittsteller der Göttin geweiht hatten. In einiger Entfernung, im Gebiet des Lagers, wurde auch die Bauinschrift zu diesem Theater gefunden, deren Text berichtet, daß der Stadtrat von Carnuntum, Caius Domitius Zmaragdus, aus Antiochia gebürtig, dieses Theater aus eigenen Mitteln auf öffentlichem Grunde erbauen ließ – *impensa sua solo publico.*

Verhältnismäßig geringe Beschädigungen wies die sogenannte Palastruine auf, der gewaltige Baukomplex beim Meierhof des Schlosses Traun in Petronell, der aus der Zeit der Stadterhebung unter Hadrian, am Beginn des zweiten Jahrhunderts stammt. Das Luftbild zeigt deutlich die großartige Anlage mit ihren großen Sälen, den Apsiden und dem ausgedehnten Kanalsystem. Marmorplatten und einzelne Fragmente zeugen von der einstigen Pracht dieses Kolossalbaus, dessen nähere Bestimmung heute noch immer nicht gesichert ist. Die beiden Oktogone und der in der Mitte befindliche Rundbau geben erneuten Interpretationsschwierigkeiten Raum. Bei einem Durchmesser von nur 6 m ist ihre Funktion als Wasserspeicher für eine Thermenanlage keineswegs widerspruchslos erklärt, wobei noch die Frage auftaucht, wozu zwei eckige und ein runder Speicher in derselben Anlage notwendig sein sollten. Als Pendant, allerdings aus dem 4. Jahrhundert, könnte hier das Trierer Oktogon, Durchmesser 13 m, herangezogen werden, dessen Funktion jedoch ebenfalls unbekannt ist. An der Außenseite der Umfassungsmauer dieser Oktogonalanlage wurde 1960 ein großer Weihealtar gefunden. Die Inschrift besagt, daß ein gewisser Faustinianus, Angehöriger der städtischen Aristokratie, dessen zivile und militärische Karriere genau aufgezeichnet ist, dem *collegium fabrum*, also der Feuerwehr, einen Genius gestiftet hat. Abgesehen von dem interessanten Detail, daß der Name des Kaisers Heliogabal, für dessen Heil – *pro salute* – der Altar errichtet wurde, nach seiner Verurteilung durch den Senat – *damnatio memoriae* –, die jedoch wohlweislich erst nach dem Tode der Majestät erfolgte, ausgemeißelt war, ist doch ein anderer Umstand von Bedeutung. Der Stein wurde bei der Oktogonalanlage gefunden. Hier haben sich nun zweifellos der oder die Klubräume der städtischen Feuerwehr befunden. Ob nun die These von den Wasser-

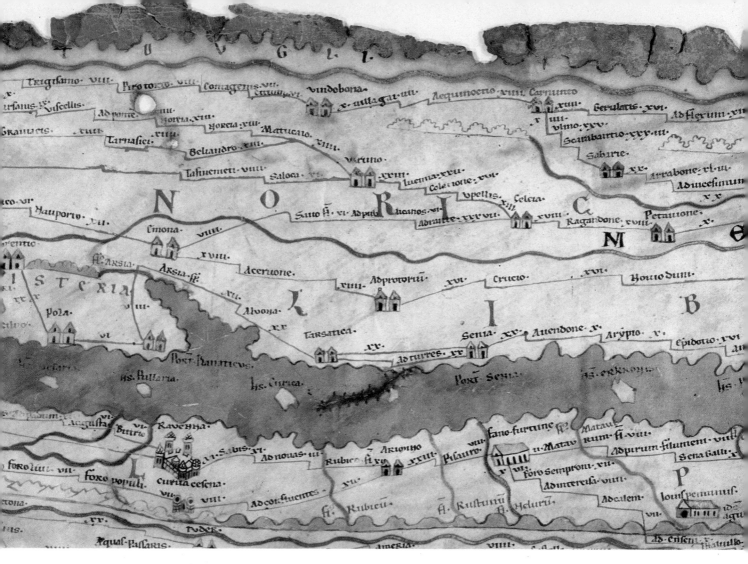

1 Tabula Peutingeriana, spätrömische Straßenkarte. Ausschnitt Ad flexum (Ungar. Altenburg) – Carnuntum – Vindobona – Trigisamum (Traismauer)

speichern damit untermauert wird, möchte ich bezweifeln. Eine andere Interpretation dieser Fundamente gab der inzwischen verstorbene Ausgräber Erich Swoboda. Er sah in der gesamten Anlage mit ihren Sälen und Apsiden, dem großen Hof und den ausgedehnten Heizungssystemen, den gewaltigen Mauern und den zahlreichen Funden von Marmorverkleidung und prächtigen Wandmalereiresten den Palast des Stadthalters, des zivilen Gouverneurs der Provinz Pannonia superior. Nun nahm Swoboda an, daß es sich bei den Oktogonen und dem Rundbau um eine kultische Anlage handeln könnte. Wir hätten hier also die Fundamente dreier kleiner Heiligtümer, Basen für Denkmäler von Göttern, vielleicht eine davon für den Kaiser oder für den keltischen Hauptgott. Jedenfalls ist die Frage noch offen. Eine Klärung werden vielleicht die nächsten Jahre bringen. Die neuen Ausgrabungen südlich der großen Apsidenräume haben bisher wohl neue Kenntnisse in Detailfragen gebracht, endgültige Ergebnisse sind jedoch noch ausständig. Daß hier im neuen Grabungsbereich ein großes Bad gefunden wurde, daß neuerlich Apsiden und ein großzügiges Kanal- und Heizungssystem zutage kam, daß mehrere Bauperioden unterschieden werden können, all das zeigt auch, daß die Funktion dieses Bauwerks oder zumindest wesentlicher Teile nicht während der ganzen Dauer der Römerherrschaft dieselbe gewesen sein muß.

Der Wiederaufbau brachte Jahre einer neuen Blüte. Die wirtschaftlichen Verhältnisse konsolidierten sich, Schiffe legten wieder im Donauhafen an, und Handelskarawanen zogen von neuem über die weiten Straßen nach Carnuntum. Aus Gallien und Germanien kamen wieder die so begehrten Sigillaten, jene prächtigen rotglasierten Gefäße, das Porzellan der Antike. Italien und die Provinzen lieferten wieder Keramik, Glas und Schmuck. Auch die heimischen Betriebe nahmen ihre Erzeugung auf. Das Leben lief wieder in den alten Bahnen.

Septimius Severus und die pannonisch-illyrischen Soldatenkaiser

Die kommenden politischen Ereignisse lähmten jedoch bald diese glückliche Entwicklung. Nach der Ermordung von Commodus, des Sohnes und Nachfolgers Marc Aurels, im Jahre 193 riefen die pannonischen Truppen in Carnuntum ihren kommandierenden General, den *legatus Augusti pro praetore*, Lucius Septimius Severus, Statthalter der Provinz Oberpannonien, zum Kaiser aus. Carnuntum wurde in den Rang einer Kolonie erhoben.

Septimius Severus, Angehöriger des Senatorenstandes, Carthager hamitischer Herkunft, war eine bedeutende Persönlichkeit. Sein großer Einfluß brachte den Mitgliedern seiner weitverzweigten Familie viele Posten und Ehrenämter. Sein Bruder Publius Septimius Geta, selbst in hoher Position, war in dem weitgespannten Netz der Intrigen gegen Commodus eine wichtige Gestalt. Das pannonische Heer war aus den verschiedensten Gründen unzufrieden, was von Septimius Severus sehr geschickt zum eigenen Vorteil ausgenützt wurde. Als er noch Statthalter in Gallien war, ließ sich Severus das Horoskop einer bedeutenden Dame zwecks Eheschließung vorlegen – es war ja die Zeit, in der Stern-

2   *Das Heidentor – Wahrzeichen Carnuntums. Bauwerk aus dem 4. Jhdt.*

deuter und Magier die Seelen der Menschen in Bann hielten. Die Auserwählte war Julia Domna, die Tochter des Sonnenpriesters Bassianus aus Emesa. Ihr Horoskop besagte, daß sie die Gattin eines Kaisers sein würde. Diese Frau, deren syrischer Name Martha = Herrin lautete – Domna oder Domina ist nur die lateinische Übersetzung von Martha –, brachte dem Afrikaner Severus Reichtum, Macht und Ansehen und den großen Einfluß des Orients in die Ehe mit. Um 191 übernahm er den Posten in Pannonien und wirkte von hier aus konsequent an der ersehnten Rangerhöhung. Die Provinz mit drei Legionen – eine in Wien, eine in Carnuntum, eine in Brigetio – gab ihm das militärische Potential für sein Vorhaben. Ob er durch Mittelsmänner an der Ermordung des Kaisers beteiligt war, ob er wissentlich solche ihm bekannten Bestrebungen begünstigte, ist nie bekannt geworden. Hier residierte er mit seiner Gattin und seinen Söhnen Caracalla und Geta.

Mit seiner Kaisererhebung begann das 3. Jahrhundert, das Jahrhundert der Soldatenkaiser. Raub, Mord und Totschlag, Intrigen und Gewalt kennzeichnen nun den Weg, der von Carnuntum aus seinen Anfang nahm, als eine zügellos gewordene Soldateska, ihrer Macht und Bedeutung nur allzu bewußt, Kaiser „zu machen" begann, und der in einem Chaos ohnegleichen endete. Die Legionen stellten Kaiser auf und erschlugen sie wieder, wenn diese ihrer Habgier und Zügellosigkeit Einhalt gebieten wollten. Es starben in den kommenden Jahrzehnten alle – ausgenommen Decius, der in der Schlacht fiel – eines unrühmlichen Todes. Sie wurden umgebracht, von den Legionären erschlagen oder von einem machtgierigen General getötet.

Commodus wurde, wie schon andere zuvor, nach seinem Tode verdammt, das heißt, der Senat erklärte ihn posthum öffentlich zum Staatsfeind. Im Museum Carnuntinum ist eine Inschrift, die dem Heile des Kaisers Commodus geweiht ist. Der Name des Kaisers ist, wie üblich, ausgemeißelt.

Nun geht zu allen Zeiten die Politik vor Gefühlen und „privaten" Regungen. Severus war, politisch gesehen, ein *homo novus*, ein Emporkömmling, ein Afrikaner, der, obwohl senatorischen Ranges, nichts aufweisen konnte, das ihn zum Tragen des Purpurs berechtigte. Als krasser Realist hob er die *damnatio memoriae* auf, erklärte Commodus für göttlich und behauptete, – daß sein Sohn Caracalla in Wahrheit der Sohn des Commodus wäre. Caracalla erhielt den Namen Antoninus, und somit war die Verbindung zu den Herrschern der vergangenen Jahrzehnte, zu den Antoninen, einer Dynastie von Adoption und Geburt hergestellt. Die Carnuntiner Inschrift zeigt mit beklemmender Deutlichkeit, wie in die ausgemeißelte Zeile der Name des Commodus noch einmal graviert wurde. Severus hatte sich den Anschein der Legalität verschafft, ohne Bedenken wegen des behaupteten Ehebruchs. Ehebruch und Verwandtschaft zu den Antoninen hatten in Wahr-

3   Blick auf Petronell, Bad Deutsch-Altenburg mit Steinbruch und Hainburg

heit natürlich nie existiert; die reine Machtpolitik stand über Fragen der moralischen Stellung der neuen Herrin des Reiches. Und so mutet es in diesem Zusammenhang auch gar nicht verwunderlich an, daß die Kaiserin Münzen prägte, deren Aversseiten Name und Bildnis der Nobilitas, der Pietas, der Pudicitia und der Vesta – des Adels, der Frömmigkeit, der Keuschheit und der Familienehre – trugen. So wurde die Dynastie der Severer begründet.

Seinen Söhnen Caracalla und Geta, die er zu seinen Nachfolgern ernannte, hinterließ Severus seine *ultima ratio:* Gebt alles, was Ihr habt, den Soldaten, anderes ist unwichtig. Der Zusammenbruch der römischen Ordnung hatte begonnen.

In diesem infernalischen Reigen sollte Carnuntum im Jahre 261 beinahe wieder Schauplatz großer Kaisergeschichte werden. Der Kommandeur der pannonischen Truppen, Caius Publius Regalianus, wurde von seinen Soldaten zum Kaiser ausgerufen. Allein, ihm war das Glück nicht hold. Wenige Monate später erschlugen dieselben Soldaten ihn und seine Kaiserin Sulpicia Dryantilla, deren wenig ansehnliche Silbermünzen zu den wertvollsten Stücken des Museums Carnuntinum zählen.

Politisch, militärisch und wirtschaftlich stand das Reich am Abgrund, der Lebenszuschnitt wurde primitiver, entsprechend den Wirren der Zeit. Sie vernichteten Sicherheit und Wohlstand – und den Glauben an die alten Götter. Die alten Götter konnten nicht mehr helfen. In dieser Not schauten die Menschen zu den orientalischen Göttern auf, die ihnen Trost in die Leiden des Daseins brachten. Isis, die *una quae est omnia* – die Eine, die alles ist –, wie ihre Gläubigen sie nannten, Kybele, die große Mutter von Pessinus, und Attis, ihr Geliebter, der immer wieder sterben muß, um wiederaufzuerstehen, und letztlich Mithras, der größte unter ihnen. Der Herr des Kosmos, der Herr des Himmels, der beim Jüngsten Gericht alle Guten belohnen und zu sich in die seligen Gefilde nehmen wird, der aber alle Bösen bestrafen und verstoßen wird. Wer auf Erden um seinetwillen, um des Guten und der Gerechtigkeit willen, leiden muß, wird im Jenseits in die ewigen Freuden eingehen. Mithras war der Held des Lichtes, die letzte Hoffnung der Verzweifelten. Aber auch Magie und wildester Aberglaube feierten die unwahrscheinlichsten Triumphe. Scharlatane und Gaukler galten als Heilige und Segensbringer. Ein Inferno menschlicher Unzulänglichkeit tat sich auf.

Dieses dritte Jahrhundert der Soldatenkaiser war das Jahrhundert der pannonischen Imperatoren. Sie versuchten im Taumel dieser Zeit den Glauben an das Imperium zu retten, weil sie selbst daran glaubten. Italien und Rom selbst stellten dem Reiche keine Kaiser mehr. Pannonien und Illyrien waren es, aus deren Schoß die Männer kamen, die den taumelnden Koloß aufrecht zu halten suchten. Kaiser wie Decius, Claudius Gothicus,

4   Petronell. Ausgrabung Zivilstadt Haus 1–6

Aurelianus und Probus legen dafür Zeugnis ab. Die großen Erneuerer am Ende dieses und die Herrscher des beginnenden vierten Jahrhunderts wie Diocletian, Constantius Chlorus und sein Sohn Constantin der Große kamen vom Balkan. In einer Zeit, da am Rhein und in Gallien die Rhetorenschulen blühten, da Italien nicht mehr das Herz des Reiches war, da Rom nicht mehr die Hauptstadt der Welt war, lag das Schicksal des Imperiums auf den Schultern pannonisch-illyrischer Kaiser. Und später, als Justinus im Jahre 518 oströmischer Kaiser wurde, da kam mit ihm der Sohn eines illyrischen Bauern auf den Thron. Er ließ aus dem heimatlichen Naissus (Nisch) seinen Neffen nach Byzanz kommen.

5   *Zivilstadt Haus 6: Porticus mit Straße*

der als Justinianus zu den ganz Großen zählte. Der Überwinder der Goten und Vandalen und der Schöpfer des Codex Justinianus. Dieses Werk überdauerte ihn und das Imperium und wurde zur Grundlage der abendländischen Rechtssprechung. Die Kandidaten der Jurisprudenz müssen noch auf den Universitäten des 20. Jahrhunderts über dieses Thema zu Prüfungen antreten.

Das dritte Jahrhundert brachte aber noch einen bedeutenden Wandel im kultischen Bereich. Der Jenseitsglaube, basierend auf der Verehrung der orientalischen Götter, bedingte eine völlige Umwertung der althergebrachten Werte. Die große Schar der olympischen

6   Zivilstadt Haus 6: im Vordergrund Apsidenraum mit Heizanlage

7　Zivilstadt, Ausgrabung: Orpheus, Mosaik (3. Jhdt.).

Götter hatte ihren Einfluß und ihre Bedeutung in den Herzen der gequälten Menschheit verloren. Diese Situation war jedoch nicht spontan gekommen. Im Museum Carnuntinum gibt ein Altar mit der lapidaren Inschrift *Deo Magno* – dem großen Gott – aus dem beginnenden zweiten Jahrhundert Zeugnis von der alten Sehnsucht nach Erlösung und nach Erkenntnis, die nun in neuen Formen machtvoll aufbricht. Die neue Jenseitsbezogenheit verlangte auch andere Formen der Bestattung. Der Körper, der wiederauferstehen sollte, durfte nicht mehr verbrannt werden. Seit dem dritten Jahrhundert finden wir in Carnuntum eine große Anzahl von Sarkophagen und Ziegelplattengräbern. Waren in den ersten beiden Jahrhunderten im zivilen Gräberfeld sowie auf der vom Legionslager nach Südosten führenden Gräberstraße, an der die Soldaten begraben wurden, durchwegs Aschenurnen beigesetzt worden, so änderte sich nun das Bild. Die überwiegende Zahl der aufgedeckten Gräber des dritten und des folgenden vierten Jahrhunderts sind Sarkophag- oder Ziegelgräber. Die geistige Situation der Menschen dieser Zeit beleuchtet am eindrucksvollsten eine Inschrift auf dem Grabstein der Augustania Cassia Marcia im Museum Carnuntinum, die besagt, die Tote hätte, auf Besseres im Jenseits hoffend, ihr Leben ertragen, bis sich das ihr vom Schicksal zugedachte Maß an Mühen erfüllt hätte.

Diocletian, die Vier-Kaiser-Verfassung und Constantin der Große

In dieser Zeit der permanenten Bürgerkriege und Kaisererhebungen – von 235 bis 284 hatte Rom nicht weniger als 30 Kaiser erlebt – kam nun im Jahre 284 ein Mann an die Macht, der sich den Purpur wiederum durch Mord erwarb. Er war der Sohn einer illyrischen Sklavin aus dem dalmatinischen Salona, Diocles genannt. Eine glänzende Karriere in der Armee brachte ihn zu den höchsten militärischen Würden und als Gardepräfekt in die Umgebung des Kaisers Numerian, nach dessen Ermordung er von den Soldaten selbst zum Kaiser ausgerufen wurde. Als Imperator Caius Valerius Diocletianus erkannte dieser bedeutende Mann, daß nur eine grundsätzliche Reform das Reich retten konnte. Aus dem Wissen um die ungeheuren Folgerungen, die sich daraus ergaben, berief Diocletian seinen alten Kampfgefährten, den General Maximian, einen Pannonier aus Sirmium, zum Mitregenten und zweiten Augustus. Die Residenz Diocletians war Nikomedien in Kleinasien, er regierte also den Ostteil des Reiches, Maximians Residenz war Mailand, von wo er den Westen beherrschte. Die Wahl Diocletians zeigt, daß der bedeutendere Reichsteil der Osten war. Rom selber war nun nur mehr eine der Städte des Imperiums, allerdings mit Steuerfreiheit und einem Senat, dessen Consuln noch immer jährlich gewählt und eingesetzt wurden und die offizielle Zeitrechnung lautete noch immer nach den Amtsjahren dieser Consuln. Das war aber auch alles. Politischen Einfluß oder gar Macht besaß der Senat schon seit Jahrhunderten nicht mehr.

Diocletian als Senior Augustus, der Erste Kaiser, stellt nun ein ausgeklügeltes System auf, um für immer Thronwirren und Bürgerkriege zu verhindern. Jeder der beiden Augusti nahm sich einen Gehilfen, mit dem Titel Caesar, der ihn bei der Bewältigung der Regierungsgeschäfte unterstützen sollte. Diocletian holte den in der Armee bewährten Illyrer Galerius und wies ihm als Residenz Sirmium an, Maximian ernannte seinen Landsmann Constantius Chlorus mit dem Sitz im germanischen Trier. So hatte das Reich zwei Augusti und zwei Caesares. Die Augusti sollten nach einer bestimmten Zeit abdanken und den beiden Caesares die Macht übergeben, die nun ihrerseits zu Augusti geworden, wiederum zwei Caesares wählen sollten. Es sollten jeweils die besten Männer in die Nachfolge eintreten, die eigenen Söhne, wenn auch im Purpur geboren, besaßen kein Erbrecht. Ein trefflicher Plan, der in der Theorie überzeugend wirkt. In der Praxis mußte diese Konstruktion jedoch scheitern, da sowohl Maximianus als auch Constantius je einen Sohn hatten. Noch waren nicht alle Bereiche der Armee, der Verwaltung, der Finanzen und anderer Einrichtungen voll durchorganisiert, da starb 306 der Augustus des Westens, Constantius. Die Rheinarmee rief den nunmehr zwanzigjährigen Constantin zum Augustus aus, ohne sich um die Diocletianische Verfassung zu kümmern. Die politische Wirklichkeit war stärker gewesen. 305 waren die beiden ersten Augusti zurückgetreten, Galerius und Constantius Augusti geworden. Durch den Tod des Constantius und die Ausrufung Constantins zum Augustus war nun das ganze System in Gefahr.

Unter dem Vorsitz Diocletians, der von seinem Palast in Salona Abschied nehmen mußte, begaben sich die Herrscher zu einer großen Reichsversammlung, um die allgemeine Lage zu beraten und die notwendigen Entschlüsse zu fassen. Carnuntum, im Herzen Europas gelegen wie eine Brücke zwischen Ost und West, schien geeigneter Tagungsort zu sein. So erlebte die Stadt an der Donau im Jahre 307 die glänzende Kaiserkonferenz. Die Stellung Constantins wurde nicht anerkannt, sondern Licinius, wiederum ein Illyrer, zum Augustus erhoben, nachdem ein anderer Illyrer, Severus, der offizielle Nachfolger des Constantius Chlorus, ermordet worden war. Es war eine Versammlung von Illyrern, die hier das Reich unter sich teilten und Constantin, der sich bei der Armee in Germanien befand, von der tatsächlichen Macht ausschlossen. Doch Constantin kümmerte sich nicht um Verträge, sondern zerstörte mit kühnen Schlägen dieses papierene Konzept, das nicht einmal eine Generation gehalten hatte. Die Weisheit des alten Diocletian aber zeigt ein Ausspruch nach Stunden heißer Debatten, um wieviel schöner und gesünder es doch sei, in Salona seinen Kohl anzubauen.

Nach langen und grausamen Bürgerkriegen – die bekannte Schlacht gegen Maxentius an der milvischen Brücke im Jahre 312 wurde sogar zu einem Kampf der Religionen – vereinigte Constantin das gesamte Imperium wieder in einer Hand. Carnuntums Glanz

8 *Mithras–Kultbild (Ende 1. Jhdt.). Davor Altar mit Atlas (Beginn 4. Jhdt.). Museum Carnuntinum*

9   Weiblicher Kopf
mit heimischer Kopf
tracht, Sandstein
(2. Jhdt.). Museum
Carnuntinum

10–12 *Gläser, sogenannte Balsamare. Links: Fläschchen aus dem Orient (11 cm Höhe). Mitte: Becher (13 cm Höhe) und rechts: Doppelhenkelkrüglein (9 cm Höhe), beide italischer Import. Museum Carnuntinum*

war jedoch erloschen. Im Amphitheater der Zivilstadt, das im ersten Jahrhundert erbaut, nach der Zerstörung in den Markomannenkriegen wiedererrichtet wurde, fand man während der Grabungen 1923–1930 im Südtor der Arena eine Anlage, die der damalige Ausgräber Rudolf Egger als frühchristliches Taufbecken deutete. Es fanden also keine Spiele mehr statt, die Christen versammelten sich am Rand der Stadt zu ihren Zusammenkünften. Die Provinz war verödet, die Stadt verarmt, ein Ergebnis des 20 Jahre dauernden Krieges zwischen den Potentaten in Ost und West. Wo noch im zweiten und dritten Jahrhundert wohl 15 000 Besucher Logen und Ränge füllten, gab es keine Spiele mehr.

Aus jener Zeit ragt einsam das Heidentor, die „porta pagana", empor aus der weiten Ebene. In zahlreichen Abbildungen wird dieser Bogen schon seit Jahrhunderten festgehalten. Die früheste bekannte Darstellung stammt von Clemens Beutler, 1649 in einem

31

Stich von der Herrschaft Petronell. Das sagenumwobene Denkmal spielt in den Sagen der Landschaft eine Rolle, von verborgenen Schätzen wird darin gesprochen. Aber auch Erinnerungen an alte, längst vergangene Zeiten knüpfen sich daran. So lokalisierte das Mittelalter hier das Grab des Riesen Teuto. Vielleicht eine alte Überlieferung aus der Zeit der großen Wanderung nach dem Westen.

Der ursprüngliche Vierpfeilerbau, dessen Pfeiler untereinander durch vier Bogen verbunden waren, stand weit ab von der Stadt. Die Luftaufnahme zeigt hier, im Gegensatz zu dem Terrain um das Amphitheater und westlich der Palastruine, keinerlei Mauerreste, keine Spur von Verbauung. Auch kein Straßenzug führte durch das Monument oder an ihm vorbei. Die Fülle der Interpretationen gibt Deutungen vom Triumphbogen über das Grabmal bis zur Tempelanlage. Der an sich heute noch imposante Rest mit seinen 14 m Höhe weist auf eine einstige Höhe von 26 m hin. Das in der Mitte stehende Podest aus Sandstein trug wohl die Statue eines Gottes oder eines Kaisers. Eine sehr ansprechende Interpretation gab Erich Swoboda, als er auf eine Textstelle beim Dichter Lactantius hinwies, in der es heißt, daß Constantius – ein Sohn Constantins des Großen – in Gallien und Pannonien Denkmäler seiner Siege errichten ließ. Hier wäre vielleicht solch ein Denkmal. Dennoch kann ohne irgendwelche näheren Fundhinweise eine eindeutige Feststellung nicht getroffen werden.

Das Ende Pannoniens – der Untergang von Carnuntum

Die zweite Hälfte des vierten Jahrhunderts ist gekennzeichnet von schweren Kämpfen gegen auswärtige Feinde in Ost und West. Germanen drangen über die Grenzen des Reiches und überfluteten die Provinzen. Am Rhein waren es Franken und Alemannen, im Osten brachen verschiedene germanische Stämme auf ihrer Wanderung aus den Gebieten der Südukraine und der Krim, von den andrängenden Hunnen vertrieben, in die Landstriche am Balkan ein. Konstantinopel sah mehr als einmal germanische Scharen vor seinen Mauern. Alles schien in Bewegung geraten. Getrieben von der Hoffnung auf neues Weide- und Ackerland, strömten diese wandernden Völker nach Europa und trafen hier auf ein in Auflösung befindliches Reich. Ihr unverbrauchter Elan, ihre Kraft und die dahinterstehende Nötigung versetzten letztlich in den nächsten Jahrzehnten dem Imperium den Todesstoß. Die Stämme im Westen dagegen waren nicht gezwungen, einem nachdrängenden Gegner auszuweichen, sie wollten das fallende Reich stürzen und bei diesem Sturz die erhoffte gigantische Beute machen, um die neuen Herren auf den Gütern der römischen Großen am Rhein und in Gallien zu werden. Julian, Kaiser, Philosoph und Erneuerer des antiken Heidentums, für das junge Christentum, das seit dem großen Constantin die Legalität genoß, der Apostat, der letzte und nach Constantin bedeutendste Sproß des kaiserlichen Hauses, schlug in zahlreichen Kämpfen und Schlachten die Germanen und hielt die Grenze im Westen. Auf einem Feldzug gegen die Perser fiel dieser letzte Flavier von der Hand eines christlichen Soldaten im eigenen Heere.

Nach einem kurzen Zwischenspiel, in dem einer seiner Generale, der Illyrer Jovian, den Purpur trug, kam mit Valentinian, einem Offizier aus dem slawonischen Cibalae, ein neuer und energischer Mann an die Macht. Im Jahre 375 kam der neue Kaiser nach Carnuntum, um hier am Angelpunkt der Verteidigung an der mittleren Donau den Limes zu inspizieren. Aus dem Osten drangen die wandernden Germanenstämme, im Westen standen die immer unruhigen Franken und Alemannen, und jenseits der Donau die Markomannen und Quaden, die nur eine günstige Gelegenheit abwarteten, um über

13 Terra Sigillata-Schale des Töpfers Cinnamus aus Lezoux (2. Jhdt.). Museum Carnuntinum

Carnuntum und Pannonien herzufallen. Wohl hatte man die eingebrochenen Stämme am Balkan noch unter Kontrolle, überall wurden feste Plätze instand gesetzt, aber die Situation an der Donau bedurfte sorgfältiger Prüfung. Im Legionslager finden wir nun die allerletzte Bauperiode, die sogenannte valentinianische. Ein letztes Mal wurden die Fortifikationen im Lager und den Limes entlang verbessert, erneuert und verstärkt. Carnuntum war bereit, einen Feind aus dem Norden zu empfangen.

Ein Bild der damaligen Stadt zeichnete der Hofhistoriograph Ammianus Marcellinus, der sich in der Begleitung des Kaisers befand. Für diese Stadt, die seit fast vier Jahrhunderten Roms starke Wacht an der Donau war, die des Kaisers Marc Aurel Residenz und Feldlager war, die des Septimius Severus spontane Proklamation erlebte, die das kurze, aber dramatische Schauspiel von Regalianus und Dryantilla über die Bühne der Geschichte gehen sah, wo der alte und müde Reformer Diocletian der großen Konferenz vorsaß, für diese Stadt fand er nur noch die erschütternden Worte: *„Oppidum desertum nunc et squalens"* – ein verlassenes und schmutziges Nest.

Valentinian zog den Limes donauabwärts in das befestigte Brigetio, wo er im selben Jahre während längerer Verhandlungen mit einer quadischen Gesandtschaft starb. Sein Bruder Valens und sein Sohn Gratian trugen nun gemeinsam den Purpur und die Last der Verteidigung des Reiches. Als westgotische Scharen unter Frithiger am Balkan aufstanden, zog ihnen Valens mit seiner Armee entgegen. 378 kam es bei Adrianopel, dem heutigen Edirne zur Schlacht. Das römische Heer wurde besiegt, Valens fiel in der Schlacht. Damit war das Schicksal der Balkanprovinzen entschieden, zugleich aber auch das Schicksal Pannoniens und seiner Hauptstadt und Festung Carnuntum. In Valentinians Verteidigungskonzept war die Niederlage bei Adrianopel nicht vorgesehen, d. h. Carnuntum wurde für die Verteidigung nach Norden, also gegen die Markomannen und Quaden, eingerichtet. Die rechte Flanke und der Rücken, nach Südosten gewendet, blieben offen. Als nun infolge der verlorenen Schlacht die Römer den vordringenden Goten nichts mehr entgegenzusetzen hatten, konnte auch Carnuntum nicht mehr gehalten werden. Um einem Zangenangriff von Goten aus dem Südosten und von Markomannen und Quaden aus dem Norden auszuweichen, mußte die römische Besatzung Carnuntum räumen. Es war in dieser ausweglosen Situation die einzige reale Lösung, die Truppen abzuziehen und die Position an der Donau nach fast 400 Jahren aufzugeben.

So ging Carnuntum, die römische Festung, die große Verwaltungsmetropole, das große Handelszentrum an der Donau zugrunde.

Germanische Stämme drangen nun Ende des Jahrhunderts in Carnuntum ein. Wie die neuen Grabungen im Lager beweisen, ging das Leben weiter, es mußte ja weitergehen. Für die zurückgebliebene Bevölkerung, die nicht den Weg nach Noricum oder nach Italien angetreten hatte, kamen nur neue Herren, so wie vor 400 Jahren die Römer kamen. Die neuen Grabungen zeigen ganz deutlich die Spuren und Überreste von Um-

14 Gemme aus Jaspis: Mithras, Stiertötung / 15 Gemme aus Karneol: Adler mit Feldzeichen / 16 Gemme aus Jaspis: Kaiser Marc Aurel und Faustina (161–180) / 17 Gemme aus Karneol: Kaiser Antoninus Pius (138–161). Museum Carnuntinum

18 Verschiedener Schmuck (2.–3. Jhdt.). Museum Carnuntinum

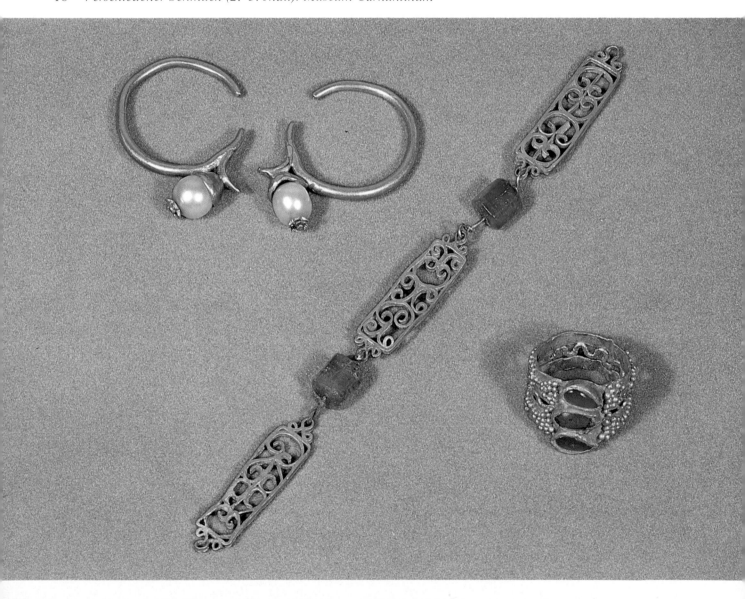

bauten des fünften Jahrhunderts. Der germanische Wanderer, Bauer und Soldat siedelte mit Familie und Vieh in den ehemaligen Legionskasernen, deren Räume er, je nach Bedarf, zu den gewünschten Unterkünften umbaute. Neue Mauern wurden aufgeführt, primitiv und wenig gekonnt, neue Zisternen wurden gegraben, für das alte Castrum begann ein neues Leben, eine neue Funktion. Im Praetorium, im Stabsgebäude, residierten die Häuptlinge, die neuen Herren.

Dennoch erwähnt die *Notitia Dignitatum,* der amtliche Reichsschematismus, Carnuntum noch als Sitz des Kommandos römischer Truppen. Erwähnt werden der *Praefectus legionis quartae decimae geminae* und der *Praefectus classis histricae,* also der Befehlshaber der *legio XIV* und der Chef der histrischen Donauflotille. Welche Gründe zu Beginn des fünften Jahrhunderts die amtliche Redaktion veranlaßte, die Abfassung des Schematismus beim Kapitel Pannonien in dieser Form vorzunehmen, bleibt ungewiß. Waren doch bei der Abfassung schon viele Jahre vergangen, seit Carnuntum germanisches Territorium geworden war. Diese Tatsache konnte den amtlichen Stellen in Rom keineswegs verborgen bleiben. Offiziell jedoch zählte man wohl Pannonien noch zum Reichsgebiet, das der Reichsgewalt nur „vorübergehend" entzogen war. Der Anspruch wurde nicht aufgegeben, denn die Zeiten mochten sich wieder ändern. Aber die neuen Herren Europas etablierten sich auf ihren Zügen nach Westen und Süden für kürzere oder längere Zeit in den Mauern Carnuntums. Ein großer Mann kam nach Jahrzehnten noch über diese Grenze nach Noricum, der heilige Severin, von dem es hieß, er sei aus Pannonien gekommen.

Von Karls des Großen Ostmark bis zu Dr. Konrad Peutingers tabula

Mit der Besitznahme durch Karl den Großen fällt auf diesen Landstrich an der Donau nach fast 500 Jahren des Schweigens wieder das Rampenlicht der Geschichte. In der *vita Caroli Magni* schreibt Einhardt, der Kaiser habe das Gebiet von Carnuntum dem Chan der Chazaren zum Lehen gegeben. Eine Nachricht, die in zweifacher Hinsicht interessant ist. Zum einen kann man annehmen, daß der Begriff Carnuntum dem gelehrten Magister wohl bekannt war. Hatte er doch seine lateinischen Autoren gelesen und studiert. Ob dieser Name Carnuntum jedoch allgemein üblich war, darf mit Fug und Recht bezweifelt werden. Die damaligen Bewohner dieses Gebietes an der Donau waren zweifellos einfache und primitive Menschen. Überlebende aus den jahrhundertelangen Kämpfen von Romanen, Germanen, Hunnen, Awaren, Skythen und anderen Stämmen, die hier durch die Senke zwischen Alpen und Karpathen, durch die Porta Hungarica, ihren Weg nach Mitteleuropa nahmen. Zum anderen besagt Einhardts Nachricht, daß die Stellung Karls in diesem Gebiet noch nicht sehr gefestigt war, hatte er doch noch schwere Kämpfe am Rhein und in Italien zu bestehen. Nach Konsolidierung der Lage gibt es über die Chazaren keine Nachrichten mehr. Die neue fränkisch-bajuwarische Herrschaft etablierte sich und feste Sitze wurden errichtet. Bei Ausschachtungsarbeiten im Schloß Traun in Petronell stieß man vor einigen Jahren im Schloßhof auf römische Fundamente besten Zustandes und von grandioser Mächtigkeit. Hier war seinerzeit zweifellos ein Teil des Forums, die Mauerreste mochten, wie bei der weiter westlich gelegenen Palastruine, einem offziellen staatlichen Gebäude zugehörig sein. Darüber jedoch lag Steinmaterial einer späteren Epoche. So hatte also der erste fränkische *grafio* seine, wenn auch wohl bescheidene, Residenz hier auf den zentralen Platz des alten Forums verlegt.

Die gewaltigen Überreste der einstigen Metropole dienten, genau wie die der Mutter Roma, als Steinbruch. Carnuntum bot willkommenes Baumaterial für die kommenden Jahrhunderte.

In Hainburg wurde unter dem Karolinger Arnulf noch vor 900 die Burg gebaut, hundert Jahre später wurde in der Nähe auf einer Erhebung über der Donau von König Stephan dem Heiligen eine prachtvolle romanische Basilika erbaut, die dann in gotischer Zeit erweitert wurde und heute das einmalige Juwel der romanisch-gotischen Kirche von Bad Deutsch Altenburg bildet. In der zweiten Hälfte dieses Jahrhunderts ließ sich im Gebiet der ehemaligen Zivilstadt Agnes, die Witwe Kaiser Heinrichs III., nieder, verließ aber ihren Witwensitz bald und zog, eine sehr fromme Frau, nach Rom. Ihre Güter gab sie den Grafen von Vohburg-Cham, einem bairischen Geschlecht, zu Lehen. Diese erbauten zu Ehren der besonderen Schutzheiligen der Kaiserin, einer Patronin der Gicht- kranken – St. Petronilla, 1068 eine Kirche. Angesichts der warmen Schwefelquellen, die schon die Kelten und nach ihnen die römischen Soldaten zu schätzen wußten, eine bemerkenswerte Verbindung.

Im 15. Jahrhundert schrieb der Wiener Schottenabt Martin, daß Petronell einst Celeia geheißen habe. Nicht also das Wissen um die römische Vergangenheit war verloren gegangen, sondern der Name der Stadt. Das Zeitalter kannte den Namen Carnuntum nicht mehr, wie ja auch der Name Vindobona für Wien verloren gegangen war. Ver- schiedene Schriften der damaligen Zeit geben immer wieder die Namen Celeia oder Celegia an. Die Ära des Humanismus brachte jedoch eine neue Beziehung zur Antike. Die lateinischen Autoren wurden eifrig gelesen, das römische Pantheon mit seinen Göt- tern hielt Einzug in die Häuser gebildeter Männer. Petrarca, der große Dichter, pries Cicero und vermittelte seine gewaltigen oratorischen Werke der Mitwelt. Römische Kardinäle hatten bereits antike Götterstatuen in ihren Parkanlagen, die Paläste schmück- ten Wandbilder mit Jupiter, Juno, Minerva und den anderen Göttern. Um die Mitte des 16. Jahrhunderts besaß auch ein weitgereister und belesener Mann aus Wiener

← *19   Zivilstadt: Palastruine (2.–4. Jhdt.) beim Meierhof in Petronell*

20   Zivilstadt, Palastruine, Stiegenabgang in die Heizräume

Gelehrtenkreisen ein Lapidarium mit antiken Funden. Es war Hieronimus Beck von Leopoldsdorf. Die Sammlung ist von seinen humanistischen Freunden beschrieben worden. Sein Schloß Ebreichsdorf aber wurde zum Reiseziel vieler bildungshungriger Zeitgenossen. Die Beschreibung der Beck'schen Sammlung erregte großes Interesse in der gelehrten Welt Wiens, in den Bibliotheken suchte man nach Werken antiker Autoren, nach Karten und Itinerarien. Vieles, das jahrhundertelang verschollen und vergessen war, kam nun ans Licht. Auch der Name der römischen Stadt vor den Toren Wiens wurde wieder entdeckt. Wiener Gelehrte waren zweifellos schon bald zur Erkenntnis gelangt, daß es sich bei Petronell und Deutsch Altenburg um die Stadt Carnuntum handeln müsse. So hat sicherlich der Humanist Bartholinus, der eine Donaureise von Wien nach Regensburg verfaßt und für die Ruinen von Petronell den Namen Carnuntum verwendet hatte, dieses Wissen von seinen Wiener Kollegen vermittelt erhalten. Der große Cuspinian, Rektor der Wiener Universität, dessen Epitaph im Stephansdom zu Wien steht, bemerkte damals, daß die meisten Gelehrten seiner Zeit diese Meinung vertreten würden.

Hier kommen wir nun zu einem wichtigen wissenschaftlichen Ereignis unter der Regierung des Kaisers Maximilian, des letzten Ritters. Conrad Celtes, der Hofbibliothekar der Römischen Majestät, verfügte in seinem Testament aus dem Jahre 1508, daß „dem Dr. Konrad Peutinger, weiland Ratsschreiber zu Augsburg, das Itinerarium Antonini, das er jetzt schon besitze, gehören solle, aber nach seinem Tod einer öffentlichen Bibliothek zugewendet werde". Celtes, der wenig später starb, nahm das Geheimnis der Herkunft dieser Pergamentrolle mit ins Grab. Eines stand fest, es handelte sich um eine im 12. Jahrhundert angefertigte Kopie nach einer Originalkarte aus der römischen Kaiserzeit. Peutinger, ein gelehrter Humanist und Freund Maximilians, erhielt vom Kaiser die Erlaubnis, die *tabula* nachdrucken zu dürfen. Peutinger, dessen Frau aus der reichen Kaufmannsfamilie der Welser stammte, erlebte allerdings die Herausgabe nicht mehr. Marcus Welser, einer der Erben, ließ Jahrzehnte später eine Kopie der *tabula* anfertigen, die er nach Antwerpen sandte zu Ortelius, dem großen Geographen seiner Zeit. Nun wurden die ersten Kopien gedruckt, das Original aber geriet in Vergessenheit. Im 18. Jahrhundert tauchte es wieder auf und ging 1720 um 100 Dukaten in den Besitz des Prinzen Eugen über. Nach dessen Tod 1738 wurde es mit der ganzen Bibliothek an den Kaiser verkauft. Heute liegt die *tabula,* nach ihrem einstigen Besitzer nunmehr als *tabula Peutingeriana* bezeichnet, in der Nationalbibliothek in Wien. Unklar ist ihre Herkunft, unklar auch der Weg, den ihr Original genommen hat, das sich als das Werk eines römischen Kosmographen erwies, der diese Karte zu Beginn des dritten Jahrhunderts als Straßen- und Militärkarte verfaßt hatte. Beeinflußt wurde diese ganze Arbeit zweifellos von der berühmten Weltkarte des Agrippa, welche die Grundlage für alle späteren kartographischen Arbeiten bildete. Daß sie ein Werk des Geographen Castorius um die Mitte des vierten Jahrhunderts sein sollte, hat die Wissenschaft nach genauen Interpretationen als nicht stichhältig erwiesen.

Das Kartenbild umfaßte die gesamte damals bekannte Welt. Von Spanien und Irland bis nach Indien und China war der *orbis terrarum* aufgezeichnet. Nicht alle Teile dieses gigantischen Werkes sind in der Kopie, die auf uns überkommen ist, erhalten. Etliche fehlen, dennoch geben die zum größten Teil erhaltenen Abschnitte ein hervorragendes

21   Zivilstadt: Palastruine: die beiden Oktogone und der Rundbau. Fugenstrich am Mauerwerk. Keine einheitliche Interpretation. (1. Hälfte 2. Jhdt.)

22   Löwin aus Bronze. Museum Carnuntinum

Bild von dem hohen Grad der kartographischen Wissenschaften der römischen Kaiserzeit wieder. Städte und Weiler, Lager und Kastelle, Stationen und Haltestellen werden hier entlang der Straßen des ganzen Reiches bis in die maurische Wüste Afrikas aufgezeichnet. Auf Grund dieser uns glücklicherweise erhaltenen Kopie lassen sich nun die Ortsangaben der Antike klar identifizieren. Über die Lage des alten Carnuntum blieb kaum mehr Zweifel. Genaue Meilenangaben von Station zu Station lassen die Entfernungen in Tagesmärschen für militärische Zwecke berechnen. Die Kurierpost des Kaisers und seiner Gouverneure in den Provinzen konnte genaue Streckenzeiten festlegen und die aufgezeichneten Stationen zum Pferdewechsel in den erforderlichen Reiseplan einkalkulieren. Wenn man von Carnuntum auf der Limesstraße nach Westen reisen wollte, so passierte man Aequinoctium (Fischamend) nach 14 Meilen und erreichte über Ala Nova (Schwechat) nach weiteren 14 Meilen Vindobona (Wien). Also eine Strecke von 28 römischen Meilen. Wenn wir nun die Meile mit 1480 Metern auf unsere heutigen Maße umrechnen, so erhalten wir eine Entfernung Carnuntum—Vindobona von 41,441, also 41,5 km. Die antike Entfernungsangabe stimmt also mit der modernen durchaus überein.

Das Wirken des Humanismus

Die Erforschung der Antike ging weiter. In ganz Europa publizierten nun gelehrte Professoren ihre Entdeckungen. Die beiden Ingolstädter Apianus und Bartholomäus Amantis verfaßten die „*Inscriptiones sacrosanctae vetustatis*" im Jahre 1534 und nahmen auch eine Inschrift auf, die mit der Fundangabe „*in Peternel olim dicto Carnunto in Austria*" versehen ist. Es war dies der Grabstein des Alfianus Crescens und der Caesilia Primigenia. In Innerösterreich hatte Augustinus Tyffernus, aus Tüffern in der Steiermark, heute Slowenien, Inschriften seiner engeren Heimat herausgegeben. Clusius, ein gelehrter Mann am Hofe Maximilians II. und Rudolfs II., unternahm wissenschaftliche Wanderungen in die Umgebung Wiens und hatte auch bei Beck in Ebreichsdorf die antiken Objekte besichtigt, von denen er eine Beschreibung herausgab.

Die Hauptarbeit an der Erforschung Carnuntums in jenen Tagen leistete jedoch Wolfgang Lazius. Der Wiener Universalgelehrte war Arzt, Naturwissenschafter, Altertumsforscher, Historiograph und Schriftsteller. In den antiken Autoren zeigte er sich sehr belesen. Er war es nun, der immer wieder hinaus zu den Ruinen von Carnuntum zog, um zu untersuchen und zu erkunden, um an Hand von Monumenten und Inschriften seine Gegner, deren etliche noch immer Carnuntum in Krain suchten, zu überzeugen. Seine Forschungen und die Kenntnis der antiken Autoren, gestützt auf Karten und Itinerarien, gaben ihm das Rüstzeug, den Nachweis seiner Behauptung zu erbringen:

Die Ruinenstadt vor den Toren Wiens ist Carnuntum. In einem Brief an Beatus Rhenanus schilderte er 1545 sein Bemühen und seine Arbeiten. In Mommsens, des großen Historikers des vergangenen Jahrhunderts, umfassendem Werk über die römischen Inschriften steht bei vielen aufgenommenen Steinen aus Carnuntum die Notiz, daß sie schon von Lazius beschrieben wurden.

Der Hof zu Wien verschloß sich keineswegs diesen wissenschaftlichen Strömungen der Zeit. Die Kaiser, deren Sparsamkeit auf immer leere Kassen zurückgeführt werden muß, nahmen Anteil an den vielen Forschungen aller Art. Erzherzog Maximilian, der Deutschmeister, war besonders der Historie zugetan. Er wendete viel Zeit und Geld auf für die Erforschung der Geschichte seines Hauses. So hatte er Verbindung zu vielen Gelehrten seiner Zeit, denen er ständig Aufträge zukommen ließ. Dieser Umgang weckte auch Maximilians Interesse für Altertümer. Wie schon Lazius in Carnuntum nach römischen Funden suchte, um sie dann in seinen Werken zu beschreiben, so gruben natürlich auch viele Unberufene hier einfach nach Schätzen, sie fanden immer wieder Käufer für ihre Steine oder Münzen. Maximilian war der erste, der offiziell den Auftrag erteilte, in Carnuntum zu graben und zu sammeln. Im Winter 1599/1600 führte Unverzagt, dem Erzherzog als Historiker wohl bekannt, in Petronell Grabungen durch. Die Funde wurden auf Maximilians Burg nach Wiener Neustadt gebracht. Dem Zuge der Zeit entsprechend, wurde ein sogenanntes Raritätenkabinett eingerichtet, in dem neben seltenen Steinen und ausgewaschenem Donaugold auch seltene Tiere in Alkohol aufbewahrt wurden. Es gab sogar Kälber mit zwei Köpfen und menschliche Mißgeburten als Schaustücke. In diesen Rahmen wurden nun auch die Funde aus Carnuntum gestellt. Vieles, was in jenen Jahren gesammelt wurde, liegt heute im Kunst- oder Naturhistorischen Museum in Wien. Es gehörte zum Grundstock der Sammlungen des Kaiserlichen Erzhauses. Steine und Münzen, Bronze und Eisengeräte füllten das Kabinett zur Freude des Erzherzogs.

Um diese Zeit wurden auch die Schlösser in der Umgebung der einstigen Stadt erneuert und ausgebaut, Petronell, Deutsch Altenburg, Rohrau, Bruck, Wolfsthal, viele Kirchen wurden vergrößert oder neuerrichtet, Patrizierhäuser in der reichen Handelsstadt Hainburg, aber auch Stadtmauer und Ortsbefestigungen wurden erbaut, und der Steinbruch Carnuntum lieferte dazu das Material.

Im folgenden Jahrhundert gab Clemens Beuttler die Beschreibung der Herrschaft Petronell heraus und fügte zwei Kupferstiche bei, die in Merians Topographie 1656 erschienen. Der eine zeigt den alten Bau vom Schloß Petronell mit Vorderfront und

23 *Zivilstadt: Gelände im Tiergarten, teilweise Ende des vorigen Jahrhunderts ausgegraben und wieder zugeschüttet. Links im Hintergrund Palastruine mit Meierhof und Schloß, rechts oben Spaziergarten mit Grabung Haus 1–6, dahinter Petronell. Quer durch das Getreidefeld führt die Limesstraße.*

südlichem Seitentrakt, von Mauer und Basteien umgeben. Im Vorfeld des Schlosses aber lesen wir einige Male „Fundamenter der Alten Statt Carnunta", um erhalten gebliebene Mauerreste zu bezeichnen. „Heydnischer Brunnen" lautet eine Bezeichnung für eine römische Wasserleitung, die heute noch intakt ist und von den höher gelegenen Feldern beim Amphitheater einst wie heute das Wasser zum Schloß führt. Der zweite Stich zeigt den ganzen Besitzstand der Grafen Traun, die ja hohe Stellen am kaiserlichen Hof inne-hatten. Die Legende in der rechten oberen Ecke nennt die Jahreszahl 1649. Beim großen Türkensturm 24 Jahre später wird Graf Traun der Befehlshaber dieses Gebietes sein und die kaiserlichen Truppen kommandieren. Auf diesem zweiten Stich finden wir zum ersten Mal Zeichnungen von Carnuntiner Denkmälern. Neben der Johanneskirche, „von den Tempel Herrn gebauwet", sehen wir „Ein Heydnisches Gebeuw unter der Erden in dem Thiergarten" und erkennen ein Hypocaustum, eine Heizanlage mit den typischen Ziegelpfeilern. Daneben steht das „Heydnisch Thor der Alten Statt Carnunta", das Heidentor, so wie wir es heute kennen, als zweipfeiligen Bau mit Bogen, am Boden der Mauerblock. Ein seltsames Bild aus so früher Zeit. Von Interesse ist auch die Zeichnung eines Grabsteines, den wir nur von diesem Blatt kennen, denn der Stein ist in späterer Zeit verloren gegangen. Ich möchte hier die Inschrift und die dazu gegebene Auflösung anführen, um zu zeigen, wie weit man in Kenntnis und Forschung bereits gekommen war:

MARCVS	*Marcus sulpicius veponius*
SVLPICIVS	*ittalus millesimo Legiones*
VEP:IT TA:MILL	*XIII Galicane miles vixit*
LEG:XIII.G:M:V.	*ano XXX hic situs marcus*
AN:XXX.H:S:	*ulpius augustins faciendu*
HERES.MARC:	*curavit*
VLPIVS	
AVGVSTINS	
FA: CVR:	

Diese Auflösung des lateinischen Textes mit seinen vielen Abkürzungen bietet heute einem Studenten im epigraphischen Seminar keine großen Schwierigkeiten mehr. Damals jedoch, ohne jegliche Unterlagen über Truppenlokationen und mit mangelhaften Kennt-nissen der lateinischen Epigraphik, war dies eine außerordentliche Leistung. Selbst-verständlich ist die Auflösung fehlerhaft, bedingt durch die Unkenntnis gewisser histori-scher Fakten.

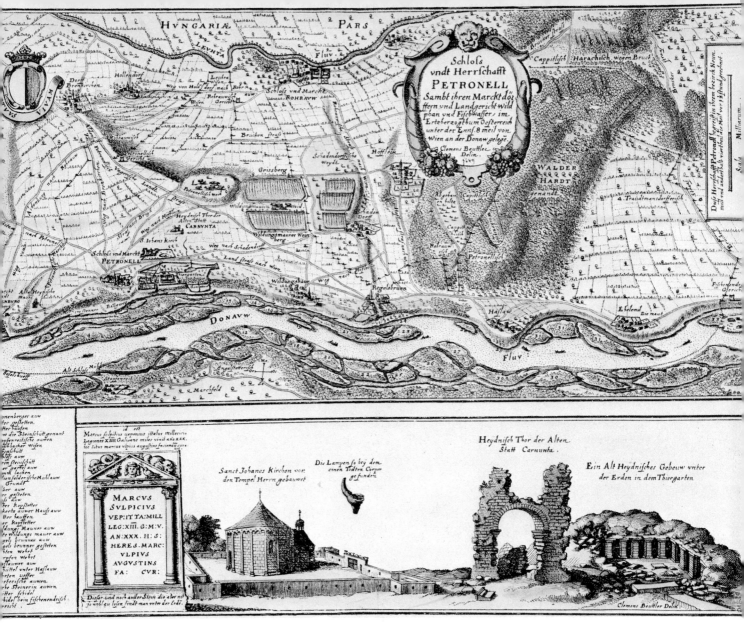

26   Stich des Clemens Beutler (1649)

Ich gebe nun die richtige Auflösung:

Marcus / Sulpicius / Vepitta mile (s) / leg(ionis) XIII [I] g(eminae) / M(artiae) v(ictricis) / an(norum) XXX h (ic) / s(itus) [e(st)] / heres / Marc(us) / Ulpius / Augustin [u]s / fac(iendum) / cur(avit)

Marcus Sulpicius Vepitta, Soldat der XIV. Legion, 30 Jahre alt, liegt hier begraben. Der Erbe Marcus Ulpius Augustinus hat dies Grabmal errichten lassen.

Im Jahre 1634 erschien das „Polhaimerisch Badbuch" vom kaiserlichen Leibarzt und Historiographen Johannes Wilhelm von Managetta, in dem die Auffindung eines „Badbronnen in Teutsch Altenburg" beschrieben wird. Exkurse über die römische Vergangenheit von Carnuntum hat Managetta in dieses medizinische Buch eingestreut. Wenig später beschrieb Peter Lambeck, oder, wie er sich der Mode der Zeit angepaßt nannte, Petrus Lambecius, die Carnuntiner Altertümer in seinen „Commentarii de bibliotheca Caesarea Vindobonensis", Band I–VIII, erschienen 1665–1679. Im letzten Jahrzehnt des Jahrhunderts beschäftigte sich der Graf Marsigli, bzw. Marsilius, ebenfalls mit den Carnuntiner Steinen, zeichnete und beschrieb Grabinschriften und erstellte einen Plan der gesamten Anlage.

Englische Reiseberichte

Hier soll noch angeführt werden, daß nicht nur deutsche Gelehrte und Humanisten mit Eifer den Studien und Forschungen nachgingen. Im Jahre 1664 kam eine Gruppe englischer Wissenschafter nach Petronell mit Edward Brown (Browne), *medicinae doctor, fellow of the Royal Society, and Physician in Ordinary to His Majesty.* Über seine Reisen nach Ungarn, Serbien, Bulgarien usw. schreibt er 1673 unter anderem: *„Though grass now groweth where Old Carnuntum stood, yet by observing eye, the foundations of their Houses and their Streets are still discoverable, and such great quantities of Roman Coyns have been of a long time, and are still found here..."* – „Obwohl nun das Gras dort wächst, wo das alte Carnuntum stand, sind dem aufmerksamen Auge die Fundamente seiner Häuser und Straßen noch sichtbar, und große Mengen römischer Münzen wurden seit langer Zeit und noch jetzt da gefunden..." Doktor Brown hat also mit seiner Gesellschaft eine ausgiebige Wanderung durch das Ruinenfeld gemacht. Er bemerkte da, wie ein Mr. Donollan, *„an Irish Gentleman"*, der bei der Reisegruppe war, *„strook with his foot a Silver Coyn out of the Earth"* – „mit seinem Fuß eine Silbermünze aus der Erde scharrte".

Das 18. Jahrhundert war das Jahrhundert der Bildungsreisen vornehmer junger Herren. In den Jahren 1736/37 machten zwei junge Engländer aus vornehmem und reichem Hause eine Fahrt nach Ungarn und Kroatien, Dr. Richard Pocoke und der Theologe Richard Milles, es sind Vettern. Reisetagebücher wurden geführt, und nach der Rückkehr nach England begann die Herausgabe des großen Fahrtenberichtes über die Reisen nach dem Kontinent, nach Deutschland, Frankreich und Italien, nach Österreich, Ungarn und Kroatien, nach Ägypten, Syrien und Cypern, ein umfassendes Vorhaben. 1743–45 erschien bei Knapton in London *„A Description of the East and some*

27 *Münzen: Tiberius (14–37); Vespasian (69–79); Theodosius (379–395); Caracalla (211–217).*
Museum Carnuntinum

Zu den folgenden Bildern 28–31 und 32:

Die beiden nächsten Seiten zeigen die „Gstetten Breiten", das Gelände westlich vom Tiergarten, in verschiedenen Jahreszeiten, sowie die Umsetzung auf Agfacontourfilm, der zur Interpretation und Sichtbarmachung von Strukturen verwendet werden kann.

Bild 28: Aufnahme im Dezember, Acker ohne Vegetation. Die Limesstraße ist durch hellere Bodenfärbung erkennbar.

Bild 29: Aufnahme Ende April. In der jungen Saat zeichnet sich die Limesstraße durch Zurückbleiben der Vegetation ab. Die Häuser beiderseits der Straße sind nur sehr undeutlich sichtbar. — Bei entsprechender Verfeinerung der Methode mit Agfacontourfilm oder durch die Anwendung von Infrarot-Falschfarbenfilmen müßte es möglich sein, auch die für das menschliche Auge noch nicht erkennbaren Vegetationsveränderungen über Hausgrundrissen sichtbar zu machen.

Bild 30: Das reife Getreidefeld Anfang Juli, in dem die Straßen und Hausgrundrisse infolge der Notreife des Getreides deutlich sichtbar werden.

Bild 31: Schwarzweiß-Negativ von Bild 29 als Zwischenstufe für die Umsetzung auf Agfacontourfilm. Das Schwarzweißbild wird auf fotografischem Wege in Stufen gleicher Grauwerte zerlegt und jedem Grauwert wird eine Farbe willkürlich zugeordnet.

Bild 32: Die Umsetzung von Bild 29 auf Agfacontourfilm. Die Limesstraße ist deutlich sichtbar, Hausgrundrisse lassen sich bereits erkennen.

28 29

30 31

other Countries". Es wurde nicht nur beschrieben, was man gesehen hatte, Skizzen und präzise Zeichnungen ergänzen diesen Bericht. Im 2. Band findet sich nun im Kapitel „*Of upper and lower Austria*" die Beschreibung der Ruinen von Carnuntum. Hatte der schon erwähnte Marsilius in seinem „*Danubius pannonico mysicus*" aus dem Jahre 1726 eine Beschreibung Carnuntums gegeben, so war diese doch eher dürftig zu nennen. Der englische Bericht ist eindrucksvoll, weil sachlich und leidenschaftslos, nüchtern, ja man ist geneigt zu sagen, rationalistisch. Tatsachen werden erzählt, keinerlei Emotionen drängen den Autor auf die Wege blühender Phantasie. Gemeinsam mit Milles gab Pocoke 1752 in einem besonderen Band die Inschriften, die während dieser langen Reise kopiert und gezeichnet wurden, unter dem Titel „*Inscriptiones antiquae Graecae et Latinae editae anno 1752*" heraus. Pocokes Reiseberichte wurden schon bald ins Deutsche und Französische übersetzt und fanden einen großen Leserkreis. Nun zu Carnuntum! Ich gebe hier den Text der deutschen Übersetzung wieder:

„Das antike Carnuntum, die Hauptstadt Ober Pannoniens, dürfte in der Gegend von Petronel, Altenburg und Haymburg gelegen sein; es war eine sehr alte Stadt. Konsul Licinus belagerte sie im letzten Jahr des Krieges gegen König Perses von Mazedonien vergeblich. Dies war 171 Jahre vor der Geburt Christi. Im zehnten Jahr nach der Geburt Christi brachte Tiberius die Stadt unter römisches Joch. Hier wurde die römische Donauflotte und die 14. Legion stationiert. Gleichzeitig wurde sie Residenz des römischen Praefekten. Eine Kolonie wurde gebracht (angesiedelt) und Carnuntum zum municipium gemacht. Kaiser Marc Aurel verbrachte viel seiner Zeit in dieser Stadt.

Altenburg und Petronel sind zwei armselige Dörfer, die nicht mehr als eine Meile voneinander entfernt sind. Zwischen ihnen, etwa auf halbem Weg, sah ich die Überreste der alten Ostmauer, die ungefähr eine Meile umfaßt haben könnte. Möglicherweise erstreckten sich an beiden Seiten weite Vororte, wie man aus den Ziegeln und Ruinen, die man in den Feldern, besonders im Park und in der Nähe des Stroms — wo viele Medaillen gefunden wurden, schließen kann. Alle diese Teile waren wahrscheinlich zur Römerzeit befestigt.

Gegen Steinabrunn bemerken wir eine alte, nach Süden führende Straße, vermutlich der Weg ins Innere des Reiches nach Scarabantia, Sabaria und Paetovio. Zwischen dieser Straße und Steinabrunn befindet sich ein Ort, der ein Lager vermuten läßt. Manche sind der Meinung, daß Carnuntum, erbaut von den Pannoniern, bei Haymburg lag und daß die römische Kolonie bei Petronel, der Palast und die Bäder bei Altenburg, verbunden waren und eine einzige Stadt bildeten. Ungefähr eine Viertelmeile im Süden der westlich von Petronel gelegenen Ruinen befindet sich, inmitten der Felder, der Überrest eines Bogens, dessen unterer Teil aus rauhen, der obere aber mit Ziegeln gemischten Steinen, erbaut wurde. Bemerkenswert ist, daß dabei viele Steine verwendet wurden, die offensichtlich zu älteren Bauwerken gehörten. Vermutlich wurde der Bogen in großer

Eile errichtet. Er ist ungefähr 20 Fuß breit und 10 Fuß tief, die Säulen messen 12 Fuß, der Scheitel des Bogens befindet sich ungefähr 24 Fuß über dem Boden, der sich merklich gehoben hat. Das ganze Bauwerk über dem Fundament ist cirka 16 Fuß hoch, und es läßt sich vermuten, daß dieser Bogen mit einem zweiten verbunden war – ähnlich wie am Forum Janus in Rom. Da er aber vom Strom viel zu weit weg ist, um einen Handelsplatz anzuzeigen, scheint mir die Annahme vernünftiger, daß es sich hierbei um einen Triumphbogen, gleich dem von Ladodicea in Syrien, handelt, der möglicherweise zu Ehren des Tiberius errichtet wurde. Dion Cassius berichtet, daß dem Kaiser ein Triumph zugestanden wurde und ihm in Pannonien zwei Triumphbögen errichtet wurden.

Ungefähr eine halbe Meile südwestlich dieses Bogens befinden sich die Überreste eines anderen Bauwerkes, von dem ich annehme, daß es sich um ein Amphitheater handelt. In Petronel gibt es einige alte Inschriften. Eine, am Schloß des Grafen Traun, erwähnt einen Hafen. Auf diesem Stein befinden sich 2 Reliefs. Eines davon stellt den Gott Merkur dar' mit Flügelhelm, Geldbeutel und Hahn, das andere scheint Gott Vertumnus darzustellen, mit Weizenähren in der einen und einem Hammer in der anderen Hand. Eine weitere Inschrift befindet sich am Schloß des Erzherzogs in Deutsch Altenburg und zwei bei einem Steinmetzen.

Hier befindet sich auch eine Mineralwasserquelle, die zu Badezwecken verwendet wird und schwefelhaltig sein dürfte. Die bemerkenswerteste Inschrift ist die im Rathaus von Haymburg, durch die erst entdeckt wurde, daß Carnuntum ein municipium war. Auf diesem Stein sind zwei Reliefs, von denen die eine Figur mit Mauerkrone die Stadt darstellt, mit einem Füllhorn in der einen und in der anderen Hand eine Patera. Die andere hat gleichfalls ein Füllhorn in der einen, in der anderen Hand einen Schiffsschnabel auf einem Erdball.

Östlich von Haymburg liegt ein Hügel, auf dem sich ein befestigtes Lager befunden haben dürfte. Unmengen barbarischer Silbermünzen wurden hier gefunden, die ein Pferd auf der einen und einen Kopf auf der anderen Seite aufwiesen.

Sie haben hier auch eine Tabakfabrik. Der Schnupftabak wird von Debreoskin in Ungarn herbeigeschafft. Ebenso erzeugen sie hier verschiedene Stoffe.

1683 kamen die Tataren hierher und ermordeten auf die grausamste Weise die meisten Einwohner, die im Schloß Zuflucht gesucht hatten." Soweit der Bericht. —

Nicht unerwähnt soll hier eine eigenwillige Meinung bleiben, die aus einem Reisebericht derselben Jahre – 1740 – stammt. Im Gefolge des Grafen Cornifiz Ulfeld, der in außerordentlicher Mission nach dem Frieden von Belgrad 1739 nach Konstantinopel reiste, um Österreichs Interessen bei der Hohen Pforte zu vertreten, befand sich auch ein Mann namens Kempelen, der einen Bericht über diese Reise hinterlassen hat. Hier wird nun Petronell als *oppidum plane exiguum,* also als völlig unbedeutend, bezeichnet. Die Gelehrten muteten seiner Meinung nach Carnuntum eine viel zu große Ausdehnung zu. Auf halbem Weg zwischen Petronell und Altenburg erhebe sich das „*Palatium Romanorum*", von Umfassungsmauern eingeschlossen. Wenn die Regengüsse das Erdreich aufgelockert hätten, fänden sich zahlreiche Münzen, aber auch Särge.

Oberst von Belows Zeitvertreib

Im Jahre 1760 geriet der königlich preußische Oberst Friedrich Julius von Below bei Landshut in österreichische Gefangenschaft. Die Katastrophe von Kunersdorf lag noch kein Jahr zurück, die Schlacht bei Landshut war verloren gegangen, es stand schlecht um die preußische Sache. Below wurde mit einigen anderen in Hainburg einquartiert, durfte sich jedoch in der Stadt und der näheren Umgebung als Ehrenhäftling frei bewegen. In einem Brief, den er aus Hainburg an seine Frau sandte, lesen wir: „Um mir ein dauerndes Merckhmal und Angedenken dieser unangenehmen Stellung, worinnen ich mich bald zwey Jahre befinde, zu stifften, so entschloß ich mich Alterthümer zu sammeln, die hiesige schöne und seltene Gegend schildern zu laßen; die auf den Ruinen einer allhier gewesenen Roemischen Colonie gefundene Müntzen einzuhandeln und dieses alles zum Zeitvertreib in nachstehende Ordnung zu verfaßen." Below ging nicht ohne Studien an diese Arbeit, er las des Lazius' „*Commentarium*", des Lambecius' „*Commentarii de bibliotheca Caesarea Vindobonensis*", und er versuchte sich selbst in der Entzifferung römischer Inschriften. Er machte eine Bestandsaufnahme aller Funde, die früher und während der Zeit seines Aufenthaltes gemacht wurden, und verfaßte einen historischen Abriß der Stadt Carnuntum sowie Untersuchungen über die römischen Münzen. Seine Arbeit „*Zeitverkürtzung in der Oesterreichischen Kriegs-Gefangenschaft*" widmete er seiner Frau Henriette von Below, geborene von Kalcksreuth. Er ließ dafür eine Reihe von Bildern zeichnen, welche die Lage der antiken Stadt und des Lagers, sowie der Landschaft zeigten. Er ließ Ansichten von Hainburg, Deutsch Altenburg, Petronell, Theben, Wolfsthal, Bruck und Kittsee, sowie Abbildungen von Monumenten und Münzen, aber auch kleineren Funden anfertigen. Die Zeichnungen stammten von Samuel Gottlieb von Besser, damals Unteroffizier im Treskowschen Infanterieregiment 32, der später in österreichische Dienste trat. Bessers Name wurde von Below nicht erwähnt, die Zeichnungen sind jedoch an unauffälligen Stellen mit F.P.S.G.v.B. signiert.

33   Legionslager und Militär-Amphitheater. Dahinter Bad Deutsch-Altenburg mit Steinbruch. Deutlich zu erkennen die Kasernenanlagen, die Tore, sowie Wall und Graben. In Verlängerung der Bundesstraße, rechts vom Theater, die römische Straße nach Hainburg.

Die kaiserliche Akademie, der Verein Carnuntum und die Erforschung der Ruinenstätte

Das 19. Jahrhundert nun bringt den endgültigen Durchbruch in der Erforschung Carnuntums. 1852 werden im Steinbruch zu Deutsch Altenburg – heute hinter dem Museum Carnuntinum gelegen – bei Sprengungen von den Arbeitern behauene Steintrümmer gefunden, darunter auch Inschriftsteine. Die Angelegenheit wurde nach Wien gemeldet, worauf die kaiserliche Akademie der Wissenschaften, an deren Spitze Ritter von Arneth stand, den Freiherrn von Sacken mit der Sichtung und Überprüfung der Funde beauftragte. Sacken kam seiner Arbeit mit großer Genauigkeit nach und konnte bald darauf in einem Sitzungsbericht der Akademie das Ergebnis seiner Untersuchungen vorlegen. Man war im Steinbruch in Deutsch Altenburg auf ein Mithräum gestoßen. Die Funde wurden geborgen und in die kaiserlichen Sammlungen nach Wien überführt. Damit begann nun seitens der Akademie die Forschungsarbeit in Carnuntum. Alfred Ritter von Arneth, der Präsident der Akademie, beteiligte sich selbst an den Arbeiten und publizierte ebenfalls über römische Altertümer in den Sitzungsberichten. Hatte man schon 1848 eine Badeanlage aufgedeckt und planmäßig aufgezeichnet, so begannen jetzt die systematischen Grabungen in Carnuntum unter Sackens Leitung. Dabei gab es mancherlei Schwierigkeiten. Der Leiter des Unternehmens saß in Wien, während bei der Grabung selbst nur ein Techniker, dem zudem die wissenschaftliche Ausbildung fehlte, die Leitung innehatte. Sacken hatte schließlich nicht nur Carnuntum zu bearbeiten, sondern sein Aufgabenbereich war weitaus größer, er war Kustos am Münzkabinett, Mitglied der Kommission zur Erhaltung und Erforschung der Baudenkmale, Rat der k.k. Akademie der bildenden Künste, Professor an der Universität, und anderes mehr. So kann man den Ausspruch Mommsens erklären, der sagte, die Wiener hätten ein Pompeji vor ihren Toren, sie täten nur zu wenig dafür. Es mangelte einfach an geschulten Fachkräften. In den siebziger Jahren beschäftigten sich nun schon eine Reihe bedeutender Gelehrter mit den Carnuntiner Problemen. Otto Benndorf, Otto Hirschfeld und Friedrich von Kenner bearbeiteten das reiche Fundmaterial. Ihre Namen tauchten in den Publikationen der

Zu den folgenden Bildern 34–36:
Oberes und unteres Burgfeld, Gelände südöstlich des Legionslagers mit Straße aus dem Lagertor und dichter Verbauung, sogenannte Canabae. Die Bilder zeigen das Gelände in verschiedenen Reifegraden des Getreides und bei verschiedenem Anbau.
Auf Bild 35 zeichnet sich im rechten oberen Teil des unbebauten Feldes die südliche Lagermauer durch Schattenwirkung ab. Davor ist deutlich das 200 m breite Schußfeld (Glacis) zu erkennen. Außerhalb des Schußfeldes dehnt sich die Lagersiedlung aus, deren Grundriß im Getreide sichtbar ist.
Auf Bild 36 anscheinend die „Hauptstraße" der Canabae.

nächsten Jahrzehnte auf. Im Jahre 1877 wurden die Ausgrabungen, nunmehr auf das Gebiet des Legionslagers konzentriert, der k.k. Centralkommission übertragen. Ein neues Publikationsorgan, die Archäologisch-epigraphischen Mitteilungen, wurde geschaffen. In dieser Reihe erschienen die Berichte über die Forschungen in allen Teilen der Monarchie, aber auch Forschungen, die von österreichischen Gelehrten in Griechenland und Kleinasien, in Italien und im tiefen Balkan gemacht wurden, erhielten hier ihr Publikationsorgan. Die Grabungen in Carnuntum übernahm Baurat Professor Alois Hauser. In Hainburg war es Pfarrer Bilimek, Professor im Militärerziehungshause, der sich besonders der Funde annahm und eine kleine Sammlung anlegte. Jahre hindurch war er den Herren aus Wien ein treuer und eifriger Helfer, bis ihn eines Tages ein ehrenvoller Ruf erreichte. Er wurde Beichtvater des Erzherzogs Maximilian, des jüngeren Bruders des Kaisers. Maximilian, Vizekönig der Lombardei und Venetiens, hielt sich meist in dem von ihm erbauten Schloß Miramare bei Triest auf. Das Abenteuer in Mexiko, den kurzen, aber hoffnungslosen Traum vom Kaiserreich, machte Bilimek nicht mehr mit. Wir wissen nicht, aus welchen Gründen er in Triest zurückblieb. Nach der Abreise seines Herrn wurde er jedenfalls in Triest Pfarrer. In seinem Testament vermachte er seine Carnuntiner Sammlung dem Museo civico, wo sie noch heute liegt.

Das Jahr 1884 war besonders erfolgreich für die nunmehr von der Öffentlichkeit mit Interesse verfolgte Arbeit in Carnuntum. Damals konstituierte sich in Wien der „Verein Carnuntum", als dessen erster Präsident Ritter von Arneth fungierte. Im Ausschuß saßen Männer wie Benndorf und Kenner, aber auch Künstler, wie der große Bildhauer von Zumbusch, und Politiker, wie das Herrenhausmitglied Nikolaus Dumba. Das Protektorat übernahm Kronprinz Rudolf. Damit wurde das allerhöchste Interesse des Kaiserhauses dokumentiert.

Wien wurde damals zur modernen Großstadt, Wälle und Basteien wurden geschleift, die Ringstraße erbaut. Man mag über die bauliche Konzeption der Ringstraße, des Abbruchs der Basteien und des Schleifens der Wälle, damals wie auch heute, verschiedener Ansicht sein, man mag das städtebauliche Konzept kritisieren, wie es einst Otto Wagner getan hat, eines ist jedoch sicher, eine ungeheuere Faszination ging von dieser Baubewegung aus. Hatte man auch statt eines Rathauses eine gotische Kathedrale, statt einer Universität ein Renaissancepalais, statt des Parlamentes einen griechischen Tempel, sangen die Wiener auch Spottverse auf die neue Oper und das Burgtheater, man besann

37 Die „Mühläcker", Gelände östlich des Lagers an der Bundesstraße. In diesem Gebiet wurde bereits 1875 ein gut erhaltenes römisches Bad mit 60 Räumen ausgegraben. Das Bild zeigt deutlich das im Text erwähnte verschieden starke Sichtbarwerden unter der Erde liegender Mauerreste in den einzelnen Anbauflächen.

1 : 2 500

```
    50        0      50      100            200 m
 |___|___|___|___|___|___|___|___|___|___|

 250      100    0    100    300      500      800 P.R.
            50
```

38 Das Standlager Carnuntum. Plan der Ausgrabungen von 1877–1911

39 Legionslager: Teil südlich der Bundesstraße (Retentura). Der nördliche Teil (Praetentura) ist
wegen Bepflanzung mit Grünfutter nicht erkennbar.

sich auf die eigene Stellung, auf die eigene Größe, auf das Fluidum der Kaiserstadt Wien, die so viele Männer aus allen deutschen Landen in ihren Bann zog. In dieser Situation der Baubegeisterung traten nun die Berichte über die Grabungen in Carnuntum durch die Presse an die Öffentlichkeit. Ein Zauber romantischer Verklärung lag über dem Ganzen. Die Vergangenheit beschäftigte die Menschen, Romane und Theaterstücke taten das ihre. Die historischen Wissenschaften brauchten nicht mehr Überliefertes zu übernehmen, man konnte an den Quellen forschen. Die Archive öffneten sich, Urkunden wurden bearbeitet, die Geschichte wurde neu geschrieben. Mommsen, der große Gelehrte, der ein umfassendes Kompendium römischer Geschichte hinterlassen hatte, wurde mit dem Nobelpreis, der erst wenige Jahre zuvor gestiftet wurde, ausgezeichnet. In Deutschland baute man unter Kaiser Wilhelm II. die Saalburg, ein römisches Kastell im Taunus, wieder auf. So kann es uns heute nicht wunder nehmen, daß auch in Wien die Begeisterung für Carnuntum groß war. In den Jahren 1888–1890 grub man das Amphitheater, in einer natürlichen Mulde ostwärts des Lagers gelegen, aus. Der Landtag von Nieder-Österreich erwarb die zahlreichen Ackerparzellen, auf denen die Reste der Arena standen und machte dieses Denkmal damit der Öffentlichkeit zugänglich.

Die große Zahl der Funde, für die kein zentraler Lagerraum, geschweige denn Aufstellungsplatz, vorhanden war, führte dazu, den Bau eines eigenen Museums zu planen. Umfangreiche Vorarbeiten wurden geleistet, bis man in den Jahren 1903–1904 an den Neubau des Hauses schreiten konnte. Am 27. Mai 1904 wurde das Museum in Anwesenheit Kaiser Franz Josephs I. eröffnet, der damit die Bedeutung der Forschungen in Carnuntum und zugleich der gesamten Bodenforschung in der Monarchie bekundete. Professor Ohmann von der Technischen Hochschule in Wien war der leitende Architekt. Unter seiner Leitung errichtete übrigens der österreichische Staat in dieser Zeit noch zwei weitere archäologische Museen: das Museum in Split beim Palast Kaiser Diocletians und das Museum in Aquileja.

Der Verein Carnuntum, der Eigentümer des Museums, besaß eine große Zahl von Mitgliedern aus allen Schichten der Bevölkerung, aus allen Kreisen der Gesellschaft, Angehörige des Kaiserhauses, Mitglieder des Hochadels, wie etwa die Fürsten Lichtenstein, den Herzog von Cumberland, den Fürsten zu Fürstenberg, die Geldaristokratie mit den Baronen Rothschild und Schöller, die Großindustrie, Universitätsprofessoren, aber auch kleine Kaufleute aus Deutsch Altenburg und Hainburg, Lehrer und Studenten zählten zu seinen Mitgliedern. In einer eigenen Publikationsreihe, „Mitteilungen des Vereines Carnuntum", wurden von jetzt ab die Forschungsergebnisse veröffentlicht.

Im Jahre 1896 wurde neben dem althistorischen Seminar das k.k. Archäologische Institut als reine Forschungsstätte gegründet. An der Akademie der Wissenschaften wurde die Limeskommission ins Leben gerufen, zwei Institutionen, deren Namen mit der Forschung in Carnuntum eng verbunden blieben.

Nach Hauser waren Dell und Tragau die Leiter der Grabungen. Die Freilegung des Legionslagers schritt zügig voran, Untersuchungen an verschiedenen Punkten im Gelände brachten immer neue Erkenntnisse. Das große Mithraeum in Petronell, das Heiligtum des Jupiter Dolichenus, die Funde auf der Pfaffenbrunnwiese, wurden eingehend bearbeitet. Ein neuer verdienstvoller Leiter der Grabungen wurde Oberst Max Groller von Mildensee. Unter ihm wuchsen die Arbeiten zu bedeutendem Umfang an. Bis zum Jahre 1913 wurde das Legionslager bis auf einen Streifen im Nordosten planmäßig ausgegraben, vermessen und gezeichnet. Wir sind heute noch in der Lage, Rekonstruktionen und notwendige Nachuntersuchungen auf Grund der Grollerschen Pläne zu erstellen und durchzuführen. Der Erste Weltkrieg beendete diese fruchtbaren Arbeiten. Im Jahre 1918 war nicht nur der Krieg verloren, sondern auch das Reich auseinandergefallen. Die kommenden Jahre zwangen alle verantwortlichen Stellen zu äußerster Sparsamkeit. Wohl kamen neue Berichte heraus, die Arbeit des Spatens jedoch blieb bis zum Jahre 1923 liegen. In diesem Jahre beauftragte das Archäologische Institut Rudolf Egger mit der Ausgrabung in der sogenannten Grüblremise in Petronell. Eine Probegrabung ergab noch im Herbst des Jahres den Nachweis eines zweiten Amphitheaters für Carnuntum. In den folgenden Jahren wurde diese Arena, die zur Zivilstadt gehörte, freigelegt.

Ein interessantes Detail zeigt, wie Überlegungen und Interpretationen die Forschung beeinflussen können. Im Jahre 1901 veröffentlichte Eugen Bormann unter anderen Inschriften auch die Bauinschrift eines Amphitheaters, die, in zwei Teile zerschlagen, als Decke einer Heizanlage im Legionslager gefunden wurde. Es war dies die schon früher erwähnte Inschrift des Caius Domitius Zmaragdus. Wilhelm Kubitschek, Professor der Wiener Universität, der auch die Herausgabe der Reiseberichte von Pocoke und Milles besorgte, erklärte nun, es könne sich bei dem in der Inschrift erwähnten Amphitheater nicht um die Militärarena handeln, da der Ausdruck *solo publico* sich keineswegs auf ärarischen, sondern auf kommunalen Grund beziehe. Kubitschek ging so weit, die Inschrift dem Petroneller Theater zuzuweisen. Kritiker dieser Ansicht wiesen auf die große Entfernung des verschleppten Steines hin und reklamierten ihn nochmals für das Militärtheater. Kubitschek ging dann noch weiter und erklärte, hätte man noch vor Jahren ein zweites Amphitheater für unmöglich gehalten, so müsse man jetzt konsequenterweise für diese Inschrift ein drittes annehmen. Nun begann der wissenschaftliche Streit in Polemik auszuarten. Rudolf Egger hat später eindeutig klargestellt, daß das Amphitheater des Zmaragdus jene Arena ist, die vor dem Lager liegt und auf die sich die Bauinschrift bezieht.

Im allgemeinen wurde die These eines zweiten Theaters für Carnuntum abgelehnt. Als man darauf hinwies, daß in Pocokes Bericht von einem Theater eine halbe Meile südwestlich des Heidentores die Rede sei, erklärten die Gegner der Zweitheater-These, hier müsse bei Pocoke ein geographischer Irrtum vorliegen, es müsse das Theater in Deutsch Altenburg gemeint sein. Pocoke sah das Amphitheater, also mußten es die

41–43   Marmorkopf (2. Jhdt.), Sandsteinkopf (1. Jhdt.), Aeskulap (2. Jhdt.). Museum Carnuntinum

← 40   *Marmorbüste der Julia Domna, Gattin des Kaisers L. Septimius Severus, der 193 in Carnuntum von den Truppen zum Kaiser ausgerufen wurde. Mutter von Caracalla und Geta. Museum Carnuntinum*

44   *Torso einer tanzenden
Mänade. Italischer Import.
Museum Carnuntinum*

45   Torso eines Herkules
mit Keule und Fell. Vermutlich Arbeit des Meisters von
Virunum.
Museum Carnuntinum

46   *Beinschnitzarbeiten: kleiner Genius, jugendlicher Amor mit Weinschlauch, Perseus mit dem Haupt der Gorgo. Museum Carnuntinum*

Bewohner von Petronell auch gesehen haben und darüber Bescheid wissen. 150 Jahre später war alle Überlieferung so verloren, daß niemand mehr von dieser Arena wußte und die streitbare Wissenschaft den sehr sachlichen Bericht der englischen Reisenden in den Bereich geographischer Irrtümer verwies. Erst der unbeirrbare Praktiker Egger brachte als Ausgräber die entscheidende Antwort.

Eine entscheidende Wende erfuhren die Arbeiten in Carnuntum im Jahre 1938. Die Ruinen der Stadt rückten in den Mittelpunkt wissenschaftlichen, gesellschaftlichen und politischen Interesses. Eine Grabung, mit großartigen finanziellen Mitteln versehen, ausgestattet mit allen technischen Möglichkeiten, wurde in Gang gesetzt. Zum Grabungsleiter bestimmte das Archäologische Institut Erich Swoboda. Die Arbeiten begannen im sogenannten Spaziergarten an der Bundesstraße und setzten sich im Jahre 1939 an der Palastruine beim Meierhof des Schlosses Traun fort. Der Krieg machte all dem ein rasches Ende.

Die ersten Untersuchungen nach 1945 führte das Archäologische Institut beim Lageramphitheater unter Vetters und Klima durch. 1948 wurden die Arbeiten im Spaziergarten an der Bundesstraße wieder aufgenommen. Die Niederösterreichische Landesregierung setzte nach Verhandlungen mit dem Institut den Vorkriegsleiter Erich Swoboda wieder auf der neuen Grabung ein. Fürs erste sollte eine Untersuchung die Möglichkeit auf lange Zeit hinaus zu planende Grabungen ergeben. Im Jahre 1949 wurde offiziell mit den Grabungen seitens des Kulturreferates der Landesregierung auf eigenen Gründen begonnen. Nach dem Tode Erich Swobodas im Jahre 1964 führt das Archäologische Institut im Auftrage der Niederösterreichischen Landesregierung die Arbeiten durch. Die Untersuchungen konzentrieren sich derzeit auf die Palastruine, eine Arbeit, die zweifellos noch Jahre in Anspruch nehmen wird. Seitens der Limeskommission und der Universität werden Untersuchungen im Legionslager und im Tempelbezirk auf dem Pfaffenberg durchgeführt.

Zahlreiche Publikationen sind über Carnuntum erschienen, Zehntausende besuchen jährlich die Grabungsstätten und das Museum Carnuntinum. Carnuntum ist wieder ein Begriff geworden und hat einen festen Platz im Kulturgeschehen unserer Zeit erhalten.

LOTHAR BECKEL: CARNUNTUM AUS DER LUFT NEU ENTDECKT

Flieger sehen unter die Erde*

Der Blick aus dem Flugzeug, an sich schon ein faszinierendes Erlebnis, wird zu einem aufregenden Abenteuer, wenn man sich über archäologisch ergiebigem Boden befindet. Plötzlich entdeckt man in den Getreidefeldern unter sich, wie von Architektenhand gezeichnet, die Grundrisse alter, längst von der Erdoberfläche verschwundener Stadtanlagen, den Verlauf von Straßen oder die Anlagen jahrtausendealter Friedhöfe, und alte Flureinteilungen werden auf einmal sichtbar.

Freilich gelingt dies nicht immer; es sind eine Reihe glücklicher Umstände und bestimmte Jahreszeiten notwendig, damit die unter der Erde liegenden Reste alter Kulturen sichtbar werden.

Die Einsatzmöglichkeiten des Flugzeuges für archäologische Forschungen wurden schon relativ früh, das heißt mit Beginn des Einsatzes der Luftbildfotografie für militärische Zwecke, erkannt. Die ersten archäologischen Luftbilder entstanden ungewollt im Jahre 1906 im Rahmen militärischer Luftbildübungen, bei denen Leutnant P. H. Sharpe von einem Ballon aus die megalithischen Ruinen von Stonehenge in der Ebene von Salisbury, England, durch Zufall auf seine Platten bekam. Die Aufnahmen, die damals großen Eindruck machten, wurden in Band 15 des Archaeological Journal, Jahrgang 1907, veröffentlicht.

Die ersten gezielt wissenschaftlichen Aufnahmen für archäologische Zwecke entstanden während und nach der Zeit des Ersten Weltkrieges, als die Engländer G. A. Beazeley und O. G. S. Crawford, sowie der Franzose A. Poidebard in Mesopotamien und Syrien und der Deutsche Th. Wiegand auf Sinai und in Südpalästina das Flugzeug für luftbildarchäologische Forschungen einsetzten und vor allem alte römische und byzantinische Ruinen aufnahmen.[1]

Besonders Crawford war es, der die Luftbildarchäologie systematisch erfaßte. Die von ihm gefundene Einteilung der Erscheinungsformen archäologischer Spuren im Luftbild hat im wesentlichen heute noch Gültigkeit. Die Methoden der Erfassung wurden freilich mit der allgemeinen Weiterentwicklung der Luftaufnahmen sehr verfeinert und erfahren

* Mit diesem Titel schließen wir uns einem Vortrag von Kurt Gebauer an. Gedruckt in: Comptes rendus de Congrès International de Géographie, Amsterdam 1938, Band 2.

eben jetzt durch den Einsatz moderner Fernerkundungssysteme und Auswertungsmethoden neue Impulse. Wie auf vielen anderen Gebieten können auch hier im Zusammenhang mit der Weltraumfahrt entwickelte Geräte Anwendung finden.

Das Flugzeug ist heute zu einem bedeutenden Mittel archäologischer Forschung geworden. Sein besonderer Vorteil liegt darin, daß von einem beliebig wählbaren, erhöhten Standpunkt aus weite Flächen überblickt werden können, ohne daß der Gesichtskreis durch irgendwelche Hindernisse eingeschränkt wird. Mit einem Male werden Zusammenhänge in der Landschaft klar, Punkte – aus der Sicht des Fußgängers – ordnen sich zu Linien und diese wiederum zu Strukturen. Prähistorische und historische Gegebenheiten haben in der Landschaft ihre Spuren hinterlassen und werden genauso sichtbar wie neuzeitliche Eingriffe des Menschen in die Naturlandschaft.

Das Erkennen der Strukturen in der Landschaft läßt sich am ehesten mit dem von Crawford gebrachten Beispiel einer Ameise auf einem Orientteppich veranschaulichen: Solange die Ameise auf einem Buchara-Teppich herumläuft, wird sie nur rote, violette, blaue, weiße oder elfenbeinfarbige Flecken unterscheiden, ohne irgendwelche Zusammenhänge in den Farben wahrzunehmen. Erst wenn sie einen nahestehenden Sessel erklimmt und von dessen Rand auf den Teppich hinuntersieht, werden sich ihr Borten und Elefantentrittmuster zu erkennen geben.

Genauso verhält es sich mit der Sicht aus dem Flugzeug. Wodurch aber treten nun die archäologischen Erscheinungen so deutlich hervor und werden erkennbar? Hier sind es im wesentlichen die drei von Crawford genannten Ursachen:

1. Bodenunebenheiten

Unter der Erde liegende Wälle, Mauern, Straßenzüge u. ä. bewirken in der Regel Bodenunebenheiten. Bei schräg einfallender Beleuchtung, wie wir sie durch tiefstehende Sonne erhalten, werfen diese Bodenwellen, mögen sie auch noch so gering sein, einen leichten Schatten. Außerdem erscheinen sie an der der Sonne zugewandten Seite heller. Es entstehen also Helligkeitsunterschiede auf dem Boden, von Crawford „shadow-sites" genannt.

Mit Hilfe dieses Phänomens wurden vor allem archäologische Entdeckungen in den Wüsten und Steppen des Vorderen Orients gemacht, wie z. B. die durch Syrien und das heutige Jordanien von Nord nach Süd laufende „Königsstraße". Es wurden aber auch viele alte Siedlungsplätze auf diese Weise gefunden.

In Carnuntum treten diese „Schattenzeichnungen" deutlich nur an zwei Stellen auf: Einmal über der Umfassungsmauer des Legionslagers, Bild 35, wobei der Schatten durch den außerhalb des Lagers gelegenen, ehemals 20 m breiten und 4 m tiefen Graben noch verstärkt wird, und zum anderen über einer Straße, die als Bodenwelle in der Verlängerung einer heute noch bestehenden Straße zu finden ist, südöstlich des Legionslagers in nord-

47 Bronzestatuette eines Jupiter
(2. Jhdt.). Museum Carnuntinum

48   Kultbild der Diana Nemesis aus
     dem Militär-Amphitheater (Ende
     2. Jhdt.). Museum Carnuntinum

östlicher Richtung zieht und in die Bundesstraße westlich von Bad Deutsch-Altenburg einmündet. Nördlich der Bundesstraße verläuft sie als Bodenwelle weiter bis zum Donauarm. Der Gesamtverlauf der Straße stellt gleichzeitig die derzeit aus der Luft erkennbare Begrenzung der Canabae (um das Lager liegende Zivilsiedlung) dar.

2. Unterschiedliche Bodenfärbung

Crawford nennt sie „soil-marks". Offen zu Tage liegender Boden, der nicht von Vegetationen bedeckt ist, weist fallweise Unterschiede in der Färbung auf, wenn unter ihm Mauerwerk verborgen liegt. Die Ursache dafür können aus dem Mauerwerk stammende Kalkreste sein, die die Bodenfarbe verändern; es kann sich auch um Feuchtigkeitsunterschiede im Boden handeln. Im letzteren Falle erscheint dort, wo Mauern oder Straßenzüge unter der Erde liegen, der Boden trockener, d. h. die Konturen treten durch hellere Farbe in Erscheinung.

Ihre Sichtbarkeit hängt jedoch von der Breite des Mauerwerkes und der Tiefe, in der es liegt, ab. Schmale Mauern mit 30 bis 60 cm Breite in einer Tiefe von mehr als einem halben Meter sind auf diese Weise nicht mehr auszumachen. Deutlich treten im Gebiet von Carnuntum in den Wintermonaten jedoch die Lagermauer und verschiedene Straßenzüge hervor. Unser Bild 28 zeigt gut erkennbar die Limesstraße westlich des Tiergartens als helle Linie, die parallel zur Donau nach Westen verläuft. Daß es sich dabei eindeutig um die Limesstraße handelt, ist durch andere Aufnahmen bewiesen, die zur Zeit der Getreidereife gemacht wurden.

Bei der Bewertung der Bodenfarben ist nämlich eine gewisse Vorsicht geboten. Nicht alles, was durch Bodenfärbung nach einer gerade verlaufenden römischen Straße aussieht, muß auch eine sein. Es kann sich ebensogut um eine unter die Erde verlegte Pipeline handeln, die denselben Effekt hervorruft.

Diese Trockenmarken, wie wir sie auch nennen, hängen nicht nur mit der verschiedenen Wasserdurchlässigkeit des Bodens zusammen, sondern auch mit verschiedenen Bodentemperaturen, und dadurch ist eine weitere Möglichkeit gegeben, unter der Erde liegendes Gemäuer aufzufinden. Rauhreif oder erster Schneefall im Herbst, auch Frühjahrsschneefälle von nur wenigen Zentimetern, können zur Nachzeichnung unter der Erde liegender Strukturen führen, da sie durch die Temperaturunterschiede des Bodens verschieden schnell schmelzen. Es erfordert aber ganz besonderes Glück, solche Entdeckungen zu machen, da nach einer halben oder bestenfalls ganzen Stunde alles schon wieder verschwunden sein kann.

49 Reliefdarstellung des Jupiter Dolichenus (3. Jhdt.). Starke Weißmetallegierung. Museum Carnuntinum

Daneben entstehen Zeichnungen durch Schnee manchmal auch, wenn alte Straßenzüge oder Gräben Einmuldungen hinterlassen haben, in denen Treibschnee abgelagert wurde, der länger liegen bleibt als der Schnee in der Umgebung. Crawford faßt diese Erscheinungen ebenfalls noch unter „Bodenfärbungen" zusammen, obwohl es sich hier um temperatur- oder reliefbedingte Strukturen handelt. Auch Unterschiede in der natürlichen Bodenstruktur heben sich stellenweise durch verschiedene Färbung ab, z. B. die sogenannten Hitzeriegel in den Schotterflächen des Tullnerfeldes oder im Nördlichen Wiener Becken.

3. Unterschiede im Pflanzenbewuchs

Bodenstruktur und Bodenzusammensetzung, verschiedener Feuchtigkeitsgehalt und unterschiedliche Bodentemperatur bringen im Pflanzenwuchs Zeichnungen hervor, die von Crawford etwas zu eng „crop-sites" genannt werden. Sie können sehr mannigfaltig sein und bringen im Luftbild auf jeden Fall die exaktesten Ergebnisse. Auch kleinste Störungen des Bodens zeichnen sich ab, Mauern mit 30 cm Breite werden schon erkennbar, abhängig jedoch von der Jahreszeit, d. h. von der Wachstumsperiode der Pflanzen und der Pflanzenart.

Ausgedehnte Mauerflächen, oder über beträchtliche Breiten stark verdichtete Böden, wie sie z. B. durch Straßen entstehen, und wie wir sie schon durch Bodenfärbung kennengelernt haben, sind nahezu in jedem Stadium des Pflanzenwachstums zu erkennen. Sie zeichnen sich durch ein deutliches Zurückbleiben der Vegetation ab, was sowohl mit der zur Verfügung stehenden Bodenfeuchte wie auch mit der Ausdehnungsmöglichkeit der Wurzeln infolge der oft wesentlich geringeren Humusdicke zusammenhängt. Bei tiefwurzelnden Pflanzen wie Kartoffeln, Rüben und Mais führen unter der Erde liegende Straßen oft zu einem völligen Verkümmern oder gar Ausbleiben der Anbauprodukte, Getreide bleibt im Wachstum deutlich zurück. Im tropischen Urwald auf Yucatan wurden sogar die alten Straßen der Mayas durch unterschiedliche Wuchshöhe der Bäume entdeckt.

Veränderungen im Boden, wie sie sich z. B. durch Auffüllen alter Gruben mit ortsfremdem Material ergeben, können bei natürlichem Bewuchs des Geländes zu Veränderungen der Pflanzengesellschaften führen und werden dadurch erkennbar.

Zu den folgenden Bildern 50–52:
50   Teil eines Schuppenpanzers aus Bronze. Museum Carnuntinum
51   Ziegelstempel der Legio XIV mit Wappentier Capricorn (Steinbock). Seltener Stempel, da sonst die Bezeichnung XIIII üblich. Museum Carnuntinum
52   Ziegel mit Stempel der Legio XIIII und den Abdrücken von genagelten Soldatenstiefeln und Hundepfoten. Museum Carnuntinum

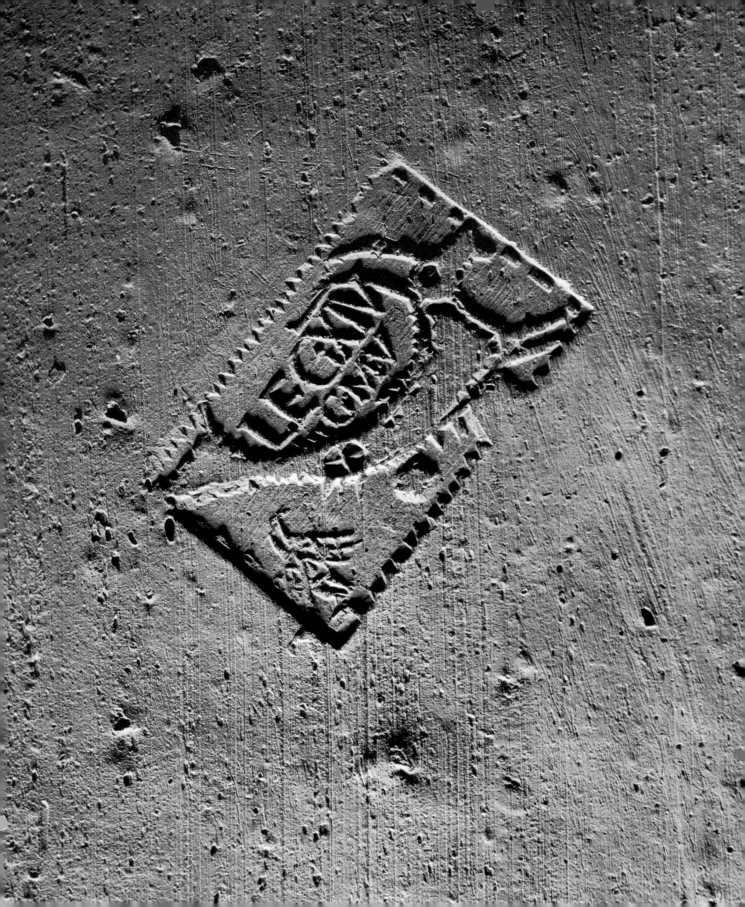

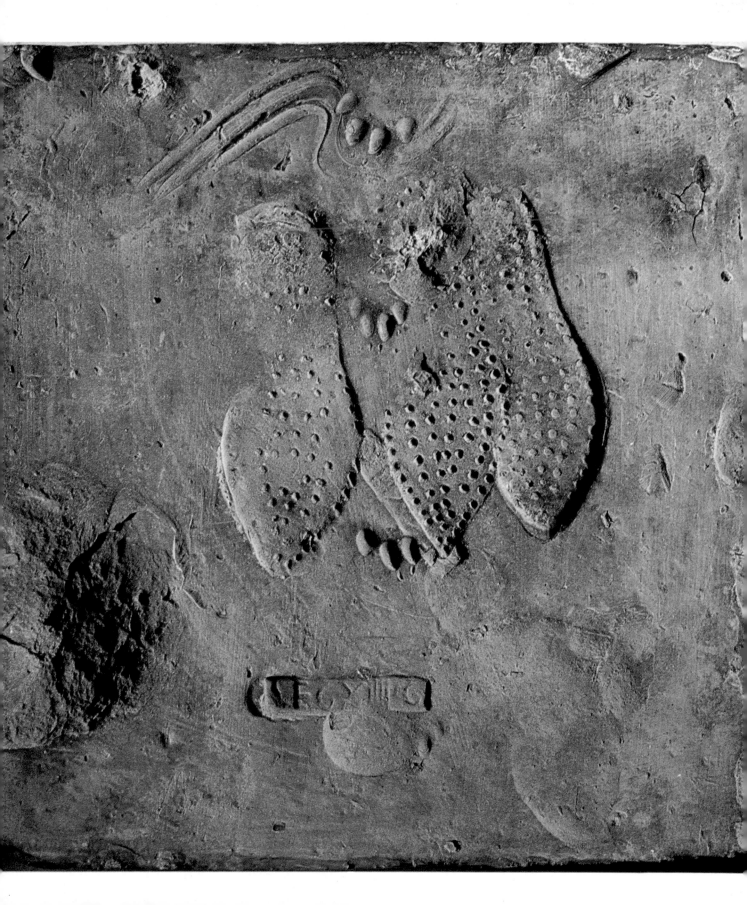

Durch die Auffälligkeit der Wachstumsunterschiede wurde in Carnuntum schon früher der Verlauf der ehemaligen Hauptstraßen vom Boden aus erkannt. Die Straßen des römischen Carnuntums waren oder sind noch zum Teil gepflastert, zum Teil bestehen sie aus festgestampftem Lehm mit Schotterauflage. Ihre Breite beträgt bis zu 10 m.

Mauern von Gebäuden beeinflussen das Pflanzenwachstum und die Reife ebenfalls. Da die Mauern in der Regel aber nur 30 bis 100 cm breit sind, treten diese Wachstumsunterschiede nicht so kraß wie bei Straßen in Erscheinung. Hier kann es sowohl zu einer Verstärkung wie auch zu einer Verringerung des Wachstums kommen. Das Wachstum wird verstärkt, wenn die Mauern unter der Erde Kalk enthalten, der wachstumsfördernd wirkt, es wird verringert, wenn, wie bei den oben erwähnten Straßenbildern, geringere Bodenfeuchtigkeit oder mangelnde Ausbreitungsmöglichkeit für die Wurzeln wachstumshemmend wirken. In beiden Fällen wird die Erscheinung durch schräg einfallendes Licht noch verstärkt, ist also in den frühen Morgen- und späten Nachmittagsstunden besser zu erkennen als zur Mittagszeit, wenn die Sonne sehr hoch steht. Anreicherungen von Humus in Bodenvertiefungen, z. B. über aufgefüllten Gräben können ebenfalls wachstumsfördernd wirken.

Die in der Vegetation entstehenden Zeichnungen sind schon in der aufgehenden Saat im Frühjahr erkennbar, Bild 29, doch bedarf es eines geschulten Auges. Kurz vor der Reife des Getreides werden die Strukturen ganz deutlich sichtbar, da es dort, wo Mauern unter der Erde liegen, wegen der geringeren Bodenfeuchtigkeit zu einer Notreife kommt, d. h. das Getreide reift an diesen Stellen um ca. eine Woche früher. Im Raume von Carnuntum ist das ungefähr in der ersten Juliwoche der Fall, kann sich aber je nach Witterungsverlauf in den letzten Wochen vor dieser Zeit um einige Tage verschieben.

Die unter der Erde liegenden Mauern treten dann ganz deutlich als dunkle Linien hervor, dadurch werden die ganzen Grundrisse von Straßen und Häusern bzw. Gräben sichtbar.

Für das vorliegende Buch wurde Carnuntum hauptsächlich zur Reifezeit des Getreides erfaßt, da um diese Zeit die besten Resultate zu erwarten sind. Freilich bringt nicht jede Getreideart gleich gute Ergebnisse. Am besten geeignet, weil auf Bodenunterschiede besonders empfindlich reagierend, ist Weizen. Er bringt die klarsten Zeichnungen. In Roggen und Gerste entstehen gegenüber dem Weizen nur undeutliche Konturen. Klee ist für unsere Untersuchungen kaum verwendbar, lediglich in längeren Trockenperioden beginnt er über Grundmauern der geringeren Feuchtigkeit wegen zu welken und kann Ergebnisse liefern. In Mais und Hirse lassen sich die feinen Strukturen von Hausgrundrissen ebenfalls nicht erkennen, nur Straßen oder Wälle werden sichtbar. Gras zeigt darunterliegende Reste nach unseren Beobachtungen nur, wenn ein Düngeeffekt auftritt (es erscheint dann dunkler) oder nach längeren Trockenperioden im Hochsommer, durch die über Mauerwerk eine deutliche Braunfärbung des Grases eintritt.

53 Münzen des Kaisers Regalianus und der Kaiserin Dryantilla (Durchmesser 2–2,3 cm), die nur in Carnuntum residierten und bald von den Soldaten erschlagen wurden (261). Zu beachten die zum Teil deutlich sichtbaren Doppelprägungen. Museum Carnuntinum

Treten die Veränderungen in Boden- oder Vegetationsfärbung deutlich hervor, kann man sie praktisch mit jeder Filmart aufnehmen. Schwarzweiß ebenso wie mit Farbe, gleichgültig ob man einen Positiv- oder Negativfilm verwendet. Farbbilder bringen aber eindeutig bessere Ergebnisse, da die Interpretation der Bilder leichter ist. Treten die Farbunterschiede in der Vegetation nur schwach oder überhaupt kaum hervor, verwendet man besser Infrarot- oder Infrarotfalschfarbenfilme. Mit ihrer Hilfe ist es möglich, auch für das menschliche Auge nicht sichtbare Vegetationsunterschiede zu erfassen.

Für die Auswertung der Aufnahmen können Bildumsetzungen auf Agfacontourfilm verwendet werden. Hierbei wird von einem Diapositiv zunächst ein Schwarzweiß-Negativ angefertigt, das auf fotografischem Wege in verschiedene Graustufen mit je einem eigenen Bildauszug zerlegt wird. Jedem derartigen Bildauszug ordnet man willkürlich eine Farbe zu und kopiert zum Schluß die sich so ergebenden Farbauszüge übereinander. Das Ergebnis gleicht einem modernen Gemälde. Bei entsprechender Wahl der Äquidensiten – so nennt man die Stufen gleicher Dichte – lassen derartige Bilder gute Aussagen zu auf Grund vorhandener, aber für das Auge sonst nicht erkennbarer Tönungsunterschiede. Wir haben mit der Frühjahrsaufnahme, Bild 29, die kaum archäologische Zeichnungen enthält, einen derartigen Versuch gemacht, um die im reifen Getreide, Bild 30, gut sichtbaren Grundmauern des Siedlungsgebietes vor dem Tiergarten herauszufiltern. Die Limesstraße ist deutlich erkennbar, Hausgrundrisse treten nur teilweise gut hervor. Die Methode muß noch verfeinert werden, um dann Ergebnisse zu bringen, die über denen der üblichen Farbbilder liegen.

Der Siedlungsraum von Carnuntum

Mit den vorliegenden Beobachtungen, die sich über vier Jahre erstreckten, war es möglich, den Siedlungsraum von Carnuntum, soweit er nicht überbaut oder durch Hausgärten oder Parkanlagen genutzt ist, abzugrenzen, die Siedlungsdichte in den einzelnen Stadtteilen festzustellen und den Verlauf der Straßen eindeutig zu rekonstruieren. Die Langzeitbeobachtung war deshalb nötig, weil die Bedingungen nicht jedes Jahr gleich sind und weil wegen der Fruchtwechselwirtschaft die Felder so lange beobachtet werden mußten,

54   Militär-Amphitheater: nach der Zerstörung eines Holzbaues während der Markomannenkriege Neubau Ende 2. Jhdt. in Stein mit der Vorrichtung für Holztribünen. Fassungsraum ca. 7000 Personen. Rechts Grabungen im Bereich des Legionslagers, das in der oberen Ecke sichtbar ist.

bis auf ihnen einmal Getreide angebaut wurde. Wobei es dann immer noch geschehen konnte, daß das Getreide im entscheidenden Moment durch einen Gewittersturm geknickt und dadurch für unsere Aussagen wertlos wurde.

Der Idealfall wäre ein gleichzeitiger Anbau von Weizen auf allen in Frage kommenden Feldern, doch ist dies ohne entsprechende finanzielle Unterstützung der Landwirte nicht zu erreichen. Gelänge es, so könnte praktisch an einem Tag der komplette Plan der Römerstadt Carnuntum erarbeitet werden. Derzeit gleicht die Arbeit einem Puzzlespiel, führt aber bei entsprechender Geduld und mit entsprechendem finanziellen Aufwand für oftmaliges Befliegen ebenfalls zum Erfolg.

Über die bisherige Kenntnis der Ausdehnung des Siedlungsraumes von Carnuntum geben die Arbeiten von Erich Swoboda „*Carnuntum – Seine Geschichte und seine Denkmäler*" und August Obermayer „*Römerstadt Carnuntum*" ausführlich Aufschluß. Beide Autoren beschreiben in lebendiger Weise die Entdeckungs- und Ausgrabungsgeschichte dieser Römerstadt an der Donau.

Die bisher erfolgten Ausgrabungen, die freilich mit Ausnahme der Palastruine und der Stadtteile im Spaziergarten wieder zugeschüttet wurden, weil einerseits die Konservierung der freigelegten Gemäuer zu kostspielig gewesen wäre und andererseits das Land nicht dauernd der landwirtschaftlichen Nutzung entzogen werden konnte, sind in Lageplänen registriert.

Der Boden von Petronell und Bad Deutsch-Altenburg birgt praktisch überall Reste der römischen Vergangenheit. Vielfach sind sie allerdings seit dem Mittelalter wieder überbaut worden und dadurch für uns heute im wesentlichen unzugänglich. Aber immer wieder stößt man bei Haus- oder Straßenbauten auf die Relikte der Römerstadt, die seit ihrer Zerstörung in der Völkerwanderungszeit verfiel. Der Einfluß der Verwitterung, die Sekundärverwendung des Baumaterials seit der Neubesiedlung im 15. Jahrhundert und die Zerstörung der Grundmauern durch die Bauern, denen sie beim Ackerbau hinderlich waren, ließen die Stadt praktisch von der Erdoberfläche verschwinden. Noch im 15. Jahrhundert ragten große Teile des Legionslagers von Carnuntum, die beiden Amphitheater und selbstverständlich das Heidentor über die Erde, und die Beschreibung der österreichischen Provinzen durch Merian aus dem Jahre 1678 enthält noch eine Reihe von Ruinen und Mauerresten in der Umgebung von Schloß Petronell, zwischen dem Schloß und dem Küchelgarten und südlich des Meierhofes im Tiergarten.

Selbst um 1820 waren noch Grundrisse römischer Bauten um Petronell und Deutsch-Altenburg im Ackerboden abzulesen, wie dies Obermayer in seinem Buch beschreibt.[2]

Mitte des 19. Jahrhunderts war über Tage nur noch das Heidentor zu sehen, die übrigen Reste waren in Kalköfen gewandert oder als Bausteine weiterverwendet worden.

Die ersten Sicherungen römischer Funde und die ersten gezielten wissenschaftlichen Ausgrabungen wurden 1853 durch Freiherrn von Sacken durchgeführt. Er erkannte

 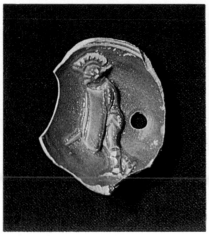 

55   Terra-Sigillata-Scherbe mit Gladiatorenkampf (2. Jhdt.) / 56   Oberer Teil einer Öllampe mit Abbildungen eines Gladiators (2.–3. Jhdt.) / 57   Terra-Sigillata-Scherbe mit Gladiatorenkampf. Museum Carnuntinum

58   Öllampe mit dem Bild eines siegreichen Zirkuskämpfers (2.–3. Jhdt.). Museum Carnuntinum

bereits, daß sich römische Straßenzüge durch unterschiedliche Färbung im Getreide abzeichnen.

Eine Planskizze des Lagers, das damals noch weitgehend zu sehen war, wurde bereits 1726 durch den kaiserlichen General Alois Graf Marsigli in seinem Werk „*Danubius pannonico maysicus*" veröffentlicht. Auch die Lagerumwallung war zu der Zeit an drei Seiten noch vollständig erhalten; die vierte Seite hatte die Donau mit ihrem ungeregelten Lauf zum Einsturz gebracht. Sie reichte damals bis an das Lager, die alten Donauufer zeichnen sich heute als Steilrand überall nördlich von Carnuntum ab. In unseren Luftaufnahmen treten sie durch den Beginn des Auwaldes an der Donau deutlich hervor. Auch heute noch findet man im Terrassenrand überall die Reste römischen Mauerwerkes. Erst mit der Regulierung der Donau im Jahre 1874 wurde ihre zerstörende Wirkung beendet. Wieweit sich die römische Siedlung zur Donau hin erstreckte, ist nicht mehr rekonstruierbar.

Im Jahre 1877 wurde das Legionslager ausgegraben, vermessen und wieder zugeschüttet. Es ist heute im Luftbild ganz hervorragend zu erkennen. Besonders der südliche, oder früher rückwärtige Teil, die Retentura, südlich der Bundesstraße 9, die mit der ehemaligen Via principalis identisch ist, tritt deutlich hervor. Durch Schattenwirkung wird, wie früher schon erwähnt, auch die Lagerumwallung gut sichtbar.

Die Zeichnung im Getreide läßt die Principia mit Forum und Sacellum und das Praetorium (Legatenpalast) im Zentrum der Retentura erkennen, am rechten Rand in einer Ausbuchtung des Lagers sieht man den Kornspeicher, die übrigen Gebäude stellen Kasernen dar. Ein Vergleich mit der Planzeichnung auf Seite 64 ermöglicht die Identifizierung aller genannten Gebäude.

Der vordere Teil, die Praetentura, nördlich der Bundesstraße bzw. der Via principalis gelegen, enthielt die Wohnungen der Stabsoffiziere, ist aber wegen fehlenden Getreideanbaues nicht erkennbar. Die Gesamtfläche des Lagers beträgt 170 000 m², die Zahl der soldatischen Bewohner betrug vermutlich zw. 6000 und 8000 Mann, was der Stärke einer Legion entspricht.

Durch drei Tore führten Straßen aus dem Lager. Im Osten führt die Straße durch die Porta principalis dextra, in gerader Verlängerung der heutigen Bundesstraße, südlich am Amphitheater I. vorbei in Richtung Hainburg. Die heutige Straße macht beim Amphitheater einen Haken nach Süden, bevor sie parallel zur alten Römerstraße weiterverläuft, wie aus dem Luftbild deutlich zu sehen ist.

59 In diesem Bild zeichnet sich durch die helleren Linien vermutlich ein römischer Gutshof in der Gegend von Potzneusiedl ab.

← 60   *Gelände östlich des Amphitheaters mit deutlichen Verbauungsspuren*
61   *Im Amphitheater werden im Sommer Stücke römischer und griechischer Lustspielautoren aufgeführt*

93

Nach Süden ist das Lager durch die Porta decumana geöffnet; die Lage dieses Tores ist klar zu erkennen, von ihm aus geht die Straße durch die Lagersiedlung, die sogenannten Canabae, in der vor allem Frauen und Kinder der Soldaten wohnten und später auch Händler und Handwerker ihre Häuser hatten, nach Scarabantia.

Die durch die Porta principalis sinistra zunächst nach Südwesten führende Straße gabelt sich etwa auf halbem Wege zwischen dem Lager und dem heutigen Petronell, wendet sich dann mit einer Linie nach Westen, um als Limesstraße das Lager über die Zivilstadt mit Vindobona zu verbinden, und führt mit der anderen Linie, die zunächst gerade weiterläuft, sich aber später nach Süden wendet, nach Aquileia. Dieser Teil der Straße ist uns durch verschiedene Funde und Grabungen auch als Gräberstraße bekannt, sie ist bis zu ihrer Kreuzung mit der heutigen Bundesstraße, die von Petronell nach Bruck an der Leitha führt, aus der Luft zu verfolgen. Ihre Einmündung in die Bundesstraße erfolgt südlich des Schaffelhofes. Im Luftbild zeigt sich ihr Charakter als Gräberstraße ganz deutlich, sie ist zu beiden Seiten dicht von Grabbauten und kleinen Grabheiligtümern begleitet.

Die vorher erwähnte Limesstraße ist bis zu ihrer Einmündung in den Ort Petronell zu verfolgen und erscheint dann westlich des Ortes im Tiergarten wieder, wo sie etwa 2 km weit im Getreide sichtbar bleibt. Alle genannten Straßen sind in der Tabula Peutingeriana eingetragen.

Rund um das Legionslager dehnten sich weitgestreckte Siedlungen aus. Der gesamte Siedlungsraum von Carnuntum reichte von Bad Deutsch-Altenburg, wo er freilich unter dem heute verbauten Gebiet nicht mehr auszumachen ist, bis in die „Gstetten Breiten" westlich von Petronell. Die Längsausdehnung des ehemals besiedelten Gebietes, gemessen vom Stadtrand Bad Deutsch-Altenburg bis zur westlichen Siedlungsgrenze, beträgt rund 6 km, und verläuft beiderseits der heutigen Bundesstraße Wien–Hainburg. Die Breite des

Zu den folgenden Bildern:

62 Die Grabungen am Pfaffenberg, hoch über Bad Deutsch-Altenburg, ergaben das Vorhandensein großer Tempelanlagen, darunter vermutlich eines Tempels der kapitolinischen Trias (Jupiter, Juno, Minerva).

63 Das Bild zeigt das Burgfeld westlich vom Legionslager, in das sich ebenfalls die Canabae erstreckten. Sie gehen weiter links im Bild in den Siedlungsraum des Municipiums über. Deutlich sichtbar ist die vom Westtor des Lagers ausgehende Straße, die sich in die Linien nach Vindobona und Aquileia teilt. Sie stellt gleichzeitig die Gräberstraße dar, die hier beginnt.

64 Die Schanzäcker. Deutlich sichtbar ist hier die 3,5 km lange Gräberstraße, besonders rechts von der Straße sind einzelne Grabbauten und Grabheiligtümer deutlich zu sehen. Etwa in der Hälfte des auf diesem Bild sichtbaren Straßenteiles ist ein Rundbau erkennbar, bei dem es sich um ein römisches Krematorium handeln könnte.

Siedlungsraumes schwankt. Er beginnt im Norden am Donauufer, wobei man allerdings nicht weiß, wieweit das Gelände von dem früher unregulierten Fluß seit der Römerzeit abgetragen wurde, und erstreckt sich dann je nach Gelände bis zu 2 km weit nach Süden.

Die Schwerpunkte der Siedlung befanden sich um das Legionslager mit diesem als Zentrum und im Bereich des heutigen Petronell, wo sich die Zivilstadt, das Municipium, ausdehnte. Nach außen hin wurde die Bebauungsdichte wesentlich geringer und löste sich gegen den Rand in einzeln stehende Häuser oder Häusergruppen auf.

Um das Lager erstreckten sich die Canabae, die früher schon erwähnt wurden. Nach Nordost sind sie derzeit aus der Luft bis an den Beginn des Siedlungsraumes von Bad Deutsch-Altenburg zu verfolgen und bedecken nördlich der Preßburger Straße als geschlossen verbautes Gebiet das Areal der „Mühläugl" und „In Saubergen". Auch auf den „Mühläckern" südlich der Bundesstraße, wo früher schon die Badeanlagen ausgegraben wurden, zeichnen sie sich als geschlossene Siedlung ab und bedecken weitestgehend das „Obere und Untere Burgfeld". Die Grenze gegen das freie Gelände im Süden bildet der Feldweg zwischen dem „Unteren Burgfeld" und der „Spannweide", wo eine Geländestufe eine natürliche Begrenzung schuf. Südwestlich des Legionslagers zeichnet sich die Ausdehnung der Canabae in den „Oberen Schanzäckern" bis zu den „Hundsheimer Krautgärten" sowie im „Burgfeld" ab.

Zwischen Legionslager und Canabae ist ein Schußfeld von etwa 200 m Breite ausgespart, das unverbaut war. Diese Anlage ist die gleiche, wie wir sie in Wien bis ins 19. Jahrhundert vor dem Schleifen der Befestigungsanlagen finden. Im Zentrum, mauerbewehrt, das Lager oder „die Stadt", umgeben von einer breiten Glacis, die sich in Wien von der Ringstraße bis zur Lastenstraße erstreckte, und außerhalb der dann die sogenannten Vorstädte lagen. Um die Glacis verlief parallel zur Lagermauer eine Straße, von der aus radial die Wege in die Vorstädte gingen. Unsere Luftaufnahme, Bild 33, zeigt diese Anlage für Carnuntum recht deutlich. Als dichtest verbaute Straße, es dürfte sich um die Hauptgeschäftsstraße der Canabae gehandelt haben, präsentiert sich uns die durch das Südtor herauskommende Verlängerung der Via decumana.

Die Häuser, Wohn- und Handelshäuser oder Werkstätten, sind mit ihren Schmalseiten entlang der Straßen errichtet und erstrecken sich meist weit nach rückwärts. Ein einheitlicher Verbauungstyp ist nicht festzustellen, die Hausgrößen schwanken, wie man aus Bild 34 sieht, sehr stark. Verglichen mit den Grundrissen der freigelegten Insulae in Petronell, ist die Mehrzahl der hier sichtbaren Häuser kleiner und einfacher in der Raumeinteilung.

65   *Ende der Gräberstraße vor dem Schaffelhof mit gut sichtbaren Grabbauten. In den Weingärten zeichnet sich die Fortsetzung der Straße durch hellere Färbung des Bodens ab.*

66 Teil eines Familiengrabes. Der Mann hält die Bürgerrolle in der Hand (2. Jhdt.). Museum Carnuntinum

67–68 Grabsteine: Caius Attius Exoratus, Sohn des Caius, Tribus Voturia, Soldat der XV. Legion, im Alter von 44 Jahren nach 22jähriger Dienstzeit gestorben, liegt hier begraben. Marcus Minicius und der Freigelassene Sucesus haben dies Grabmal errichtet. (Ende 1. Jhdt.) Über dem Inschriftfeld eine bäuerliche Szene, links der Soldat. Museum Carnuntinum

Atpomarus, Sohn des Ilo, 25 Jahre alt, liegt hier begraben. Brogimarus hat seinem Bruder dieses Grabmal errichtet (1. Hälfte 1. Jhdt.). Über dem Inschriftfeld der Kopf des Toten und eine Jagdszene. Museum Carnuntinum

69 Grabstein: Caius Lucretius Iustus, Sohn des Caius, aus Opitergium, Tribus Papiria, Soldat der XV. Legion, nach 10jähriger Dienstzeit im Alter von 30 Jahren verstorben. Der Erbe ließ dieses Grabmal aus eigenen Mitteln errichten (2. Hälfte 1. Jhdt.). Opitergium ist Oderzo bei Aquileia. M. Carnuntinum

Interessant ist die große Hofanlage im rechten unteren Eck des Bildes, die man auf mindestens 200 m Seitenlänge schätzen kann. Es könnte sich hier um ein weiteres Forum handeln, wie ein anderes schon an der südwestlichen Ecke des Lagers ausge- graben wurde. Daß das Straßennetz sehr unregelmäßig war und willkürlich entstanden ist, zeigen die Bilder der Canabae sehr deutlich. Es handelt sich dabei nicht um einen geplanten, sondern um einen gewachsenen Stadtteil.

Auch im Schußfeld um das Lager, das eigentlich hätte unverbaut bleiben sollen, finden sich immer wieder vereinzelt Hausgrundrisse. Die aus dem Südtor der Porta decumana herausführende Straße ist sogar vom Tor weg durch die Glacis hindurch beidseitig verbaut.

Als Gesamtfläche für das Lager und die Lagersiedlung können wir auf Grund der Luftaufnahmen etwa 2,6 km² annehmen. Genau läßt sich die Fläche ohne Grabung deswegen nicht angeben, weil die Canabae im Westen unmittelbar in die bebaute Fläche der Zivilstadt übergeht.

Der vermutliche Stadtkern oder das Zentrum des Municipiums ist, weil es wahr- scheinlich größtenteils unter dem heute verbauten Gebiet von Petronell liegt, aus der

71 Die Reste des Amphitheaters der Zivilstadt mit einem Fassungsraum für ca. 13.000 Personen. Im Getreide sind die Spuren von Gebäuden erkennbar. Im rechten oberen Bildteil zeichnen sich zwei römische Straßen ab, die zum Amphitheater führen. Die unregelmäßigen Flecken im linken oberen Bildrand sind noch ungeklärt. Sie sind auch auf vielen anderen Bildern sichtbar.

102

Zu den folgenden Bildern:

72   Amphitheater der Zivilstadt: Blick in die Arena. Links im Toreingang die Überreste des früh-christlichen Taufbeckens.

73   Amphitheater der Zivilstadt: im Vordergrund ein Gebäude mit seitlichen Apsiden. Zweifellos ein Kultbau. Welcher Zeit er angehört, können nur Grabungen ergeben.

74   Gelände zwischen Amphitheater und Heidentor mit Resten der Verbauung. Dieses Gebiet dürfte die Südgrenze des Municipiums darstellen.

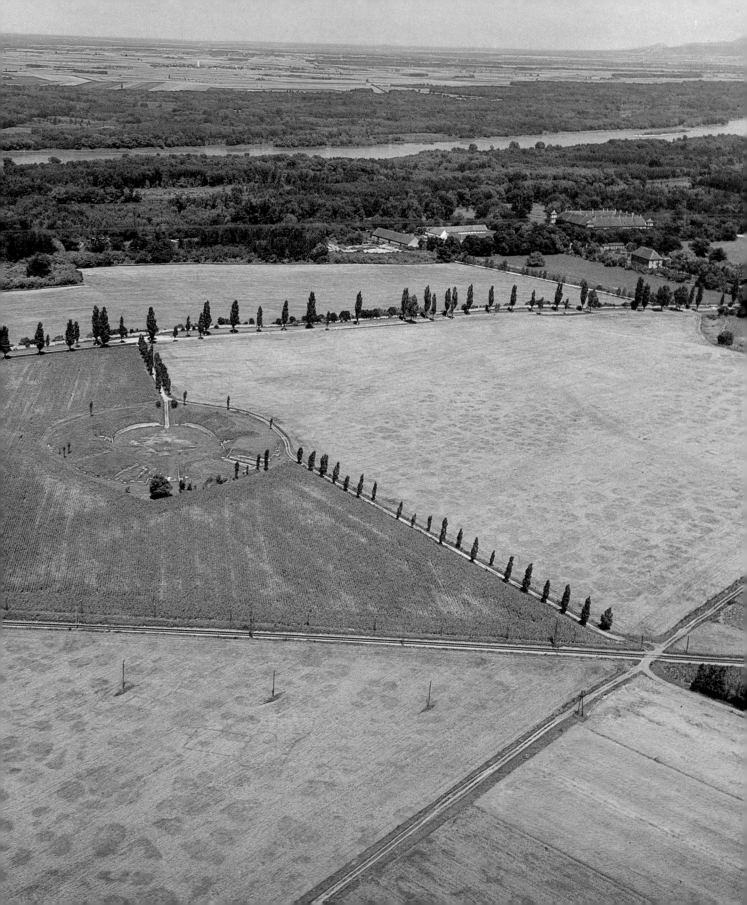

75 Das
Heidentor

Luft nicht mehr aufzunehmen. Hier lassen sich lediglich in den Randgebieten die Spuren römischer Bautätigkeit nachweisen. Das erlaubt uns aber, auch hier die Ausdehnung der Stadt festzustellen. Im Nordosten ist das Ende der Stadt allerdings durch das eben erwähnte Zusammenwachsen mit den Canabae nicht mehr abzugrenzen. Im Süden dürfte die heutige Bahnlinie Hainburg–Bruck an der Leitha die Grenze gewesen sein, jedenfalls finden wir im Bereich von Petronell südlich der Bahntrasse außer der vom Lager kommenden Gräberstraße kaum noch Spuren. Aber auch bis zur Bahn selbst ist es schwierig, Mauerkonturen zu erkennen, da das Gebiet vielfach durch Gärten genutzt ist, die durch ihren unregelmäßigen und vielartigen Pflanzenbestand unsere Arbeit aus der Luft nahezu unmöglich machen. Umso schöner zeigt sich das verbaute Gelände des Municipiums aber im Bereich des Tiergartens, der sich als geschlossene Siedlungsfläche erweist, die auch noch westlich davon weit in die „Gstetten Breiten" hineinreicht.

Die im Luftbild sichtbaren Grundrisse im Tiergarten lassen einen rechtwinkeligen Straßenverlauf erkennen, so daß es sich hier vermutlich um einen geplanten Stadtteil handelte. Er stellt die Fortsetzung der im Freilichtmuseum des Spaziergartens ausgegrabenen Insulae dar.

Auf den „Gstetten Breiten" kommen zwei Straßen zusammen. Die eine aus nördlicher Richtung parallel zur Tiergartenmauer, die andere, die den Tiergarten durchquert, aus Richtung Amphitheater. In den Parkanlagen bleibt sie jedoch für uns weitgehend unsichtbar, ist aber in ihrer Fortsetzung nach Westen außerhalb der nördlichen Tiergartenmauer gut erkennbar. Erst am Ende der „Gstetten Breiten" treffen diese beiden Straßen zusammen. Auch hier dürfte eine natürliche Bodensenke dem Siedlungsraum eine Grenze gesetzt haben. Jedenfalls lassen sich westlich davon keine Hausreste im Luftbild erkennen. Das kann allerdings auch mit der für unsere Zwecke ungeeigneten Vegetation zusammenhängen.

Die Gesamtausdehnung dieses Siedlungsraumes zeigt Bild 3. Südlich der Preßburger Straße in den „Witzelsdorfer Äckern" finden sich kaum alte Anlagen in den Feldern. Erst in den „Johannesbreiten", das ist das Gebiet östlich des Heckenstreifens, der von der Bundesstraße vor dem Amphitheater II nach Süden zieht, wird die Verbauung wieder dichter. Die Felder um dieses Amphitheater zeigen eine verhältnismäßig enge Verbauung, die sich nach Süden hin bis zur Bahnlinie erstreckt. Bild 74 zeigt diesen südlichsten Punkt dichterer Besiedlung. Jenseits der Bahnlinie bzw. des querlaufenden Feldweges, der die „Johannesbreiten" von den „Heidentoräckern" trennt, lassen sich nur noch einzeln stehende Häuser feststellen.

Bemerkenswert ist jedoch ein Hausgrundriß in Bild 73, der sich in dem von links kommenden, nach rechts spitz zulaufenden Weizenfeld befindet. Hier zeichnet sich deutlich der Grundriß eines rechteckigen, nach Osten ausgerichteten Bauwerkes ab, das an den beiden Längsseiten gegenüberliegende Apsisbögen aufweist. Es mag sich entweder um einen Kultraum oder aber um die schon lang gesuchte, erste frühchristliche Kirche im Raum von Carnuntum handeln. Zu letzterer Erklärung ermutigt die Tatsache, daß in unmittelbarer Nähe, nämlich am Südausgang des Amphitheaters, ein christliches Taufbecken aus dem 4. Jahrhundert gefunden wurde. Klarheit über das Gebäude kann jedoch erst eine Grabung verschaffen.

Ungeklärt bleibt nach wie vor die Bedeutung des Heidentores. Es zeichnen sich in der näheren Umgebung weder Hausgrundrisse noch Straßen ab. Letztere könnten freilich mit den heutigen Feldwegen identisch sein und lassen sich dadurch nicht ohne weiteres aus der Luft als Römerstraßen erkennen. Das nächste im Getreide sichtbare Haus liegt 200 m östlich vom Heidentor entfernt. 300 m westlich vom Heidentor dürfte sich ein römischer Gutshof befunden haben, der sich in anderen Luftaufnahmen abzeichnet, die in diesem Buch allerdings keine Aufnahme finden konnten.

Römische Gutshöfe, die von Veteranen bewirtschaftet wurden, finden sich ja weit verstreut überall zwischen Carnuntum und dem Neusiedler See. Unser Bild 59 zeigt eine derartige Anlage in der Nähe von Potzneusiedl.

Auf vielen Luftaufnahmen sehen wir mehr oder weniger regelmäßige Vielecke, die sich dunkel im Getreide abheben. Auch hier liegt eine Störung des Bodens vor, die allerdings ebenfalls noch nicht genau ergründet ist. Dem Aussehen nach handelt es sich dabei um Polygonböden, die in Kaltzeiten entstanden sind. Diese Art der Boden-strukturen finden wir heute oft in den Tundren. Gegen die Annahme, daß es sich um Polygonböden handelt, spricht jedoch, daß sie oft sehr scharf geradlinig begrenzt sind und nur fleckenweise in sonst gleichartigen Böden auftreten, wie z. B. auf Bild 71, und daß sie außerdem durch Hausgrundrisse nicht gestört werden, sondern sich fallweise auch innerhalb dieser abzeichnen.

Für die Spaten der Archäologen bleibt in Carnuntum noch viel Arbeit übrig. Welche kulturhistorisch wertvollen Funde sich neben der allgemeinen wissenschaftlichen Er-kenntnis durch die Grabungen erwarten lassen, deuten die Bilder der Bodenfunde in diesem Buch an.

[1] Leo Deuel, Flight into yesterday. Deutsch: „Flug ins Gestern", 1973 Rüschlikon.
[2] Siehe August Obermayr, Römerstadt Carnuntum, 1967 Wien. S. 10.

ZEITTAFEL

27. v. bis 14. n. Chr.	Augustus
16/15 v. Chr.	Die Römer erobern Rätien und beginnen die Eroberung des nördlichen Illyrien (Pannonien). Noricum bleibt „selbständiges Königreich".
6 n. Chr.	Erste Erwähnung Carnuntums, eines „Ortes in Noricum".
9	Schlacht im Teutoburger Wald.
14 bis 37	Tiberius
etwa 16	Die Legio XV Apollinaris bezieht zu Carnuntum Standquartier.
53/54	Älteste auf Carnuntum bezogene Bauinschrift des Legionslagers.
54 bis 69	Nero
62 bis 71	Die Legio XV Apollinaris kämpft im Orient (jüdischer Krieg), sie wird in Carnuntum zeitweise durch die Legio X gemina ersetzt.
69 bis 79	Vespasianus
73	Bauinschriften von einem Ausbau der Legionsfeste Carnuntum (im Museum Carnuntinum).
79 bis 81	Titus
81 bis 96	Domitianus
96 bis 98	Nerva
98 bis 117	Traianus
etwa 114	An die Stelle der Legio XV Apollinaris tritt die Legio XIV gemina Martia victrix als Dauerbesatzung in Carnuntum bis zum Ausgang der Römerherrschaft.
117 bis 138	Hadrianus – er verleiht Carnuntum die Municipalrechte.
161 bis 180	Marcus Aurelius
171	Einfall der Markomannen, der zur Zerstörung Carnuntums führt.
172 bis 180	Kriege Roms gegen Markomannen, Quaden und Jazygen zur Wiederherstellung der Donaugrenze.
172 bis 174	Carnuntum ist das Hauptquartier des Kaisers Marcus Aurelius.
180 bis 192	Commodus
193 bis 211	Septimius Severus. Nach der Ermordung des Kaisers Commodus wird Septimius Severus von den Soldaten der XIV. Legion in Carnuntum zum Kaiser ausgerufen.
253 bis 268	Gallienus
261	Regalianus und Dryantilla
284 bis 305	Diocletianus
307	Reichskonferenz in Carnuntum: die alten Kaiser *(Augusti seniores)* Diocletian und Maximian, der Kaiser Galerius und der zum Kaiser des Westen bestimmte Licinius.
306 bis 337	Constantinus der Große
375	Kaiser Valentinian I., zur Abwehr aus dem Westen angerückt, schlägt sein Hauptquartier für einige Sommermonate in dem „verödeten Carnuntum" auf.
um 430	Letzte Erwähnung Carnuntums im römischen Amtsschematismus *(Notitia dignitatum),* wahrscheinlich überholte Notizen vom Ende des 4. Jahrhunderts.

1885	Lager, vollständige Bloßlegung des sogenannten Forums.
	Gräberstraße am Burgfeld.
1886	Lager, Baulichkeiten westlich vom sogenannten Forum. Quästorium.
	Gräberstraße, Fortsetzung der Grabungen des Vorjahres.
	Gebäudegruppe bei der Mühlgartenmauer.
1887	Gebäudegruppe bei der Mühlgartenmauer, Fortsetzung.
1888	Lager, südlicher Torturm der Porta principalis dextra.
	Amphitheater, Brüstungsmauer.
1889	Amphitheater, Arena.
	Der niederösterreichische Landtag erwirbt die Ackerparzellen, auf denen sich die Reste des Amphitheaters befanden, wodurch es möglich wurde, dieses Denkmal der Römerzeit dauernd zu erhalten.
1890	Amphitheater, Bloßlegung der Cavea, Straße längs des Amphitheaters.
1891	Heidentor
	Dolichenum, Straße: Carnuntum—Vindobona.
	Gräber östlich der Rundkapelle in Petronell.
1892	Zivilstadt im Traunschen Tiergarten.
1893	Palastähnliche Anlage in der sogenannten Meierhofgrube im Traunschen Tiergarten in Petronell.
	Konservierung des Amphitheaters durch den niederösterreichischen Landesausschuß.
1894	Sogenanntes drittes Mithraeum im Garten des Jakob Sutter in Petronell.
	Palastähnliche Anlage in der sogenannten Meierhofgrube, Fortsetzung der Grabung.
	Amphitheater, Westtor und Nemeseum.
1895	Amphitheater, Bloßlegung der an das Nemeseum anschließenden Räume.
1896	Lager, Umfassungsmauer an der rechten Prinzipalseite der Prätentura.
1897	Straße Carnuntum—Scarabantia.
1898	Lager, südlicher Turm der Porta principalis sinistra.
	Straße Carnuntum—Scarabantia, Fortsetzung.
	Straße Carnuntum—ad Flexum.
	Straße Carnuntum—Gerulata—ad Flexum.
	Pfaffenberg, Limestürme, Tempelanlage.
	Ödes Schloß am linken Donauufer.
1899	Lager, linke Prinzipalseite mit Porta principalis sinistra.
	Straße Carnuntum—Scarabantia.
	Auffindung der Straße Carnuntum—Vindobona.
	Gräberfeld bei der Pálffy-Villa.
1900	Lager, westliche Hälfte der Decumanfront.
	Baulichkeiten nördlich der Via quintana.
	Straße Carnuntum—Vindobona.

1900	Straße Carnuntum—Scarabantia.
1901	Lager, Baulichkeiten zwischen Via secunda und quinta.
	Gräber an der Straße Carnuntum—Scarabantia.
	Straße Carnuntum—Vindobona.
1902	Lager, Baulichkeiten zwischen Via quinta und decumana, Porta decumana.
	Gräber an der Straße Carnuntum—Scarabantia.
	Gebäude auf der „Petroneller Burg".
	Wasserleitungskanal längs der Straße Carnuntum–Scarabantia.
	Straße Carnuntum—Vindobona.
1903	Lager, Baulichkeiten zwischen Via decumana und der dritten Gasse.
	Gebäude auf der „Petroneller Burg".
1904	Lager, Lazarett westlich vom Quästorium.
1905	Teile der Zivilstadt östlich und südöstlich vom Lager.
1906	Lager, südlicher Teil der rechten Prinzipalseite der Retentura.
	Bäder bei der Pálffy-Villa.
	Amphitheater, Restaurierung durch den niederösterreichischen Landesausschuß.
1907	Lager, nördlicher Teil der rechten Prinzipalseite der Retentura.
	Amphitheater, Gebäude östlich und südöstlich davon.
	Heidentor, Restaurierung durch den niederösterreichischen Landesausschuß.
1908–1911	Lager, Prätentura, linke Hälfte, Scamnum tribunorum, sechs Manipelkasernen, Lagergasse mit großer Kloake.
1913–1914	Gräberstraße westlich des Lagers.
1923	Zivilstadt, 2. Amphitheater in der Grüblremise.
1924–1930	2. Amphitheater.
1931–1932	Straßennetz von Carnuntum.
1933–1934	Gräberstraße am Burgfeld.
1938	Sondagen im Spaziergarten und Tiergarten.
1939	Palastruine beim Meierhof des Schlosses Traun.
1946–1947	Nachgrabung Lager-Amphitheater.
1948	Probegrabung Spaziergarten Petronell.
1949	Zivilstadt, Spaziergarten, Korridorhaus, Gräberstraße.
1950–1955	Zivilstadt, Spaziergarten.
1956	Zivilstadt, Spaziergarten, Probegrabung im Legionslager, Palastruine.
1957	Palastruine, Gräberstraße am Burgfeld.
1958	Zivilstadt, Spaziergarten.
1959–1962	Palastruine Südteil.
1961	Gräberstraße am Burgfeld.
1963–1964	Palastruine Nordteil.
seit 1967	Palastruine Nordostteil.

LITERATUR

Apianus und Bartholomäus Amantis, *Inscriptiones sacrosanctae vetustatis.* Regensburg 1534.

Wolfgang Lazius, *Vienna Austriae.* Basel 1546.

Wolfgang Lazius, *Chorographia Austriae.* Wien 1561.

Petrus Lambecius, *Commentarii de bibliotheca Caesaraea Vindobonensis,* I–VIII. Wien 1665–1679.

R. Pocoke und J. Milles, *A Description of the East and some other countries.* London 1743–1745.

Friedrich von Below, *Zeitverkürzung in der Oesterreichischen Kriegsgefangenschaft,* handgeschr. Manuskript. Berlin o. J.

Eduard Frh. von Sacken, *Sitzungsberichte der k. Akademie der Wissenschaften, Phil.-hist. Klasse,* 1852, 1853.

Joseph Ritter von Arneth, *Sitzungsbericht der k. Akademie der Wissenschaften, Phil.-hist. Klasse,* 1853.

Jahrbuch der k.k. Zentralkommission in Wien, 1856 ff.

Corpus Inscriptionum Latinarum, III Bd., ed. Mommsen. Berlin 1873.

Archäologisch-epigraphische Mitteilungen aus Österreich-Ungarn, 1877 ff.

Berichte des Vereines Carnuntum. Wien 1885 ff.

Jahreshefte des Österreichischen Archäologischen Institutes. Wien 1898 ff.

Der Römische Limes in Österreich. Wien 1900 ff.

Wilhelm Kubitschek, *Führer durch Carnuntum.* Wien 1923.

Wilhelm Kubitschek, *Sitzungsberichte der Akademie der Wissenschaften, Phil.-hist. Klasse,* 1929.

Wilhelm Capelle, *Marc Aurel. Selbstbetrachtungen.* Stuttgart 1953.

Eduard Vorbeck, *Militärinschriften aus Carnuntum.* Wien 1954.

Manual of Photographic Interpretation. Washington 1960.

Erich Swoboda, *Carnuntum – Geschichte und Denkmäler.* Wien 1964.

Edith Thomas, *Römische Villen in Pannonien.* Budapest 1964.

Lexikon der Alten Welt. Zürich 1965.

Carl Troll, *Luftbildforschung und landeskundliche Forschung.* Wiesbaden 1966.

August Obermayr, *Römerstadt Carnuntum.* Wien 1967.

Irwin Scollar, *Neue Methoden der archäologischen Prospektion.* Düsseldorf 1970.

Eduard Vorbeck, *Museum Carnuntinum.* Wien 1972.

Zeitschrift „Document Archeologia", Sonderheft *L'archéologie aérienne,* 1973/1.